LUCHTVAART

VAN TWEEDEKKER
TOT STEALTH

Standaard Uitgeverij   Uitgeverij Memphis Belle

LUCHTVAART

VAN TWEEDEKKER
TOT STEALTH

Reg Grant

Adviseur
Michael Allaby

Dorling **DK** Kindersley

Redactie Matt Turner
Vormgeving Keith Davis
Eindredactie Fran Jones
Beeldredactie Stefan Podhorodecki
Uitgever Linda Martin
Opmaak Jane Thomas
Beeldresearch Marie Osborn
Foto's DK Jonathan Brookes
Productie Jenny Jacoby
DTP Siu Yin Ho

Copyright © 2003 Nederlandse vertaling by
Standaard Uitgeverij, Belgiëlei 147 a, 2018 Antwerpen
www.standaarduitgeverij.be
infojeugd@standaarduitgeverij.be

Verantwoordelijke uitgever voor Nederland:
Uitgeverij Memphis Belle, Prinsengracht 860, 1017 JN Amsterdam

Vertaling: Vertaalcollectief Thomas
Redactie: Asterisk*, Amsterdam
Productie: Standaard Uitgeverij

ISBN 90 76 90086 8
NUR 218
D/2003/0034/391

INHOUD

INLEIDING

Op een winderig zandduin aan de oostkust van de VS klom Orville Wright ongeveer 100 jaar geleden in een zelfgemaakt vliegtuig van hout, doek, pianosnaren en fietskettingen. Orville lag plat op zijn buik, kwam los van de grond en bleef 12 seconden in de lucht voordat hij weer met een klap op de grond belandde. Het gemotoriseerd vliegen was begonnen!

Tegenwoordig gaan jaarlijks ruim een miljard mensen op stap met vliegtuigen die urenlang in de lucht kunnen blijven met snelheden die in de tijd van Orville Wright ondenkbaar waren. Astronauten wagen zich in de ruimte en zijn al op de maan geweest. Hoe heeft de mens de droom van het vliegen waar kunnen maken? En hoe zijn we er via de luchtvaartpioniers in geslaagd de enorm omvangrijke luchtvaart van nu te realiseren?

IS DIT EEN VLIEGTUIG OF EEN HELIKOPTER? BEIDE. HET IS EEN AUTOGIRO UIT HET BEGIN VAN DE 20STE EEUW.

DE SNELLE, UITERST WENDBARE F-15 JET
HEEFT RUIM 30 JAAR DIENSTGEDAAN BIJ DE
LUCHTMACHT VAN DE VERENIGDE STATEN.

Om al deze vragen te beantwoorden, volgt hier het
verhaal van de heldhaftige mannen en vrouwen die in
hun vliegtuigjes oceanen en bergketens overstaken, of
die op zoek naar nieuwe snelheidsrecords het uiterste
uit hun 'kist' haalden. Ga aan boord van een groot,
luxueus luchtschip en ervaar hoe het is om stijlvol door
de lucht te zeilen. Of ontdek hoe een raketvliegtuig
bestuurd wordt dat door een ander vliegtuig als een
bom wordt afgeworpen.

Je komt in dit boek ook een paar heel bijzondere
machines tegen. Van luchtvaartuigen aangedreven door
fietspedalen of zonlicht, tot de machtige Saturnusraket
waarmee de mens voor het eerst naar de maan reisde.

En mocht je meer willen weten: overal in dit boek
staan 'klik op'-kaders met interessante websites waar je
nog veel meer informatie en foto's kunt vinden.

Dus, riemen vast
en behouden
vaart door de
geschiedenis van
de luchtvaart!

VLIEG ALS EEN VOGEL

H eb jij er wel eens van gedroomd dat je net als een vogel, gewoon door je armen te spreiden, hoog in de lucht kon vliegen? Door dit soort dromen gingen onze voorouders machines uitvinden die echt konden opstijgen. Na de eerste gewaagde pogingen in ballonnen en rare zweefvliegers, ontstond er al snel een passie voor gemotoriseerd vliegen.

DE GRIEKSE UITVINDER DAEDALUS MET ZIJN GEVEDERDE VLEUGELS OP DE EERSTE GEDRUKTE AFBEELDING VAN EEN MENS DIE VLIEGT (1493).

Vogelman

Eind 19de eeuw kon men in Berlijn getuige zijn van een plaatselijke attractie: de vluchten van 'vogelman' Otto Lilienthal.

10-20 m over de toeschouwers zweefde om even later onhandig aan de voet van de heuvel te landen. Lilienthal probeerde de eeuwenoude droom van de mens te verwezenlijken: vliegen als een

'VOGELMAN' LILIENTHAL MAAKTE MEER DAN 1000 GLIJVLUCHTEN

Voor een met ontzag vervulde menigte stond de bebaarde Lilienthal op een heuvel met vogelachtige vleugels die aan zijn lichaam waren bevestigd. Vervolgens stapte hij tegen de wind in de heuvel af, met zijn vleugels uitgestrekt, tot een windvlaag hem de lucht in tilde en hij op een hoogte van

vogel. Als zij het konden, waarom wij dan niet?

Mislukken

De oude Grieken kenden al de mythe van Daedalus en Icarus. Deze vader en zoon zaten gevangen op het eiland Kreta en probeerden te ontsnappen via vleugels van met was aan elkaar verbonden veren. Daedalus wist naar de vrijheid te vliegen, maar Icarus kwam te dicht bij de zon, waardoor de was smolt en hij jammerlijk te pletter viel.

Ondanks dit ontmoedigende voorbeeld hebben talloze mensen geprobeerd te vliegen door met primitieve vleugels aan hun armen van een toren of rots te springen. Ze faalden, net als Icarus, en wie niet ter plekke stierf, raakte wel zwaargewond.

De droom van Da Vinci
Zelfs de grote Italiaanse uitvinder Leonardo da Vinci dacht dat iemand kon vliegen door met vleugels te flapperen. Da Vinci leefde 500 jaar geleden en de vliegmachines die hij in

zijn notitieboekjes schetste waren gebaseerd op zijn observaties van vogels en vleermuizen. Maar de machines van Leonardo waren onrealiseerbaar.

De menselijke spieren zijn niet berekend op een fladderende vlucht. Vogels hebben een heel licht lichaam en de spieren die hun vleugels in beweging brengen, zijn zeer krachtig in verhouding tot hun omvang. Lilienthal liet zien wat er met vleugels aan je armen hooguit kan: een korte zweefvlucht vanaf een heuvel maken.

OTTO LILIENTHAL TIJDENS EEN VAN ZIJN EERSTE VLIEGEXPERIMENTEN. HIJ WAS ERVAN OVERTUIGD DAT MENSEN KONDEN LEREN VLIEGEN DOOR VOGELS TE IMITEREN.

9

E en lading hete lucht

Ruim 200 jaar geleden lukte het mensen voor het eerst de lucht in te gaan, zij het geheel anders dan vogels dat plegen te doen.

Deze vliegers waren de broers Joseph en Etienne Montgolfier, papierfabrikanten uit de Franse plaats Annonay. Ze hadden gemerkt dat een papieren zak

EEN EEND WERD, SAMEN MET EEN KIP EN EEN SCHAAP, DOOR DE GEBROEDERS MONTGOLFIER ALS EEN VAN DE EERSTE DRIE BALLON-VAARDERS DE LUCHT IN GESTUURD,

ze eerst een eend, een kip en een schaap opstijgen. Op 21 november 1783 waren twee dappere Fransen, Pilâtre de Rozier en de markies d'Arlande, de eerste mensen die vlogen. Ze klommen in een mand onder een Montgolfierballon en stegen op. Terwijl ze

DE BRANDSTOF VOOR DE EERSTE MENSELIJKE VLUCHT? DROOG STRO...

opsteeg als ze deze boven een vuur met hete lucht vulden. Hete lucht is namelijk lichter dan koude lucht en de zak met hete lucht stijgt op dezelfde manier op als een kurk die naar het oppervlak terugplopt als je hem onder water duwt.

Een met hete lucht gevulde zak of ballon die groot genoeg was moest dus, zo redeneerden de gebroeders, iets dat er onderaan vastzat kunnen optillen; bijvoorbeeld een mand met mensen erin.

O p stro vliegen

De broers bouwden een reeks grote ballonnen. Voor ze een mens de lucht in zonden, lieten

in een met stro gevulde komfoor een vuur brandend hielden om de ballon van hete lucht te blijven voorzien, bleven ze 25 minuten in de lucht en legden 8 kilometer af voor ze weer veilig op aarde terugkeerden.

G eliefd tijdverdrijf

Luchtballonnen werden populair. De hete lucht werd algauw vervangen door gassen die lichter zijn dan lucht, zoals waterstof. En er vond een aantal roemruchte ballonvaarten plaats, zoals die over het Kanaal van Engeland naar Frankrijk in 1785. Maar er kleefde ook een aantal evidente nadelen aan de luchtballon. Men was aan de genade van het weer en de windrichting overgeleverd, en de enorme gasballon kon maar twee of drie mensen dragen. Luchtballonnen waren leuk, maar niet erg nuttig.

Mik hoog!

Tot iemand eind 18de eeuw iets verder doordacht. Sir George Cayley, een Engelse landheer, kreeg een idee tijdens het vliegeren. Als een ballon mensen de lucht in kon dragen, dan kon een vlieger dat misschien ook wel.

Dus bond hij een grote vlieger om een stok en vervaardigde zo de eerste vliegtuigvleugel. Aan het uiteinde van de stok bevestigde hij een beweegbare staart, zodat zijn luchtvaartuig omhoog en omlaag en van de ene kant naar de andere kon bewegen. In 1809 begon Cayley met het uitproberen van een luchtvaartuig dat een kleine jongen enkele meters ver kon vervoeren.

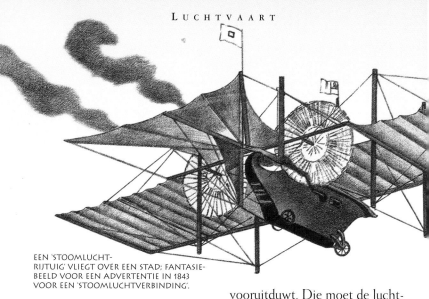

EEN 'STOOMLUCHT-RIJTUIG' VLIEGT OVER EEN STAD; FANTASIE-BEELD VOOR EEN ADVERTENTIE IN 1843 VOOR EEN 'STOOMLUCHTVERBINDING'.

Hoe een vliegtuig vliegt

Cayley publiceerde ook zijn ideeën over zwaarder-dan-lucht-vliegen. Hij zette de basisprincipes uiteen van opwaartse druk, stuwkracht en luchtweerstand. Opwaartse druk is de opwaartse kracht die de vleugel verschaft en die het luchtvaartuig en de piloot omhoog moet krijgen. Stuwkracht is de kracht die het vliegtuig vooruitduwt. Die moet de luchtweerstand kunnen overwinnen, dat is de weerstand van de lucht tegen alles wat er doorheen probeert te gaan.

Niemand nam Cayley serieus of wist hoe je een luchtvaartuig moest aandrijven. Cayley zelf wilde daar eerst roeispanen voor gebruiken, net als bij een roeiboot!

VREEMDE WERELD

IN 1853 LIET SIR GEORGE CAYLEY ZIJN KOETSIER EEN STUKJE IN EEN ZWEEFVLIEGER VLIEGEN. DEZE NAM DIRECT ONSLAG MET DE WOORDEN: 'IK BEN AANGENOMEN OM TE RIJDEN, NIET OM TE VLIEGEN.'

Improviseren

Zonder motoren konden vliegeniers alleen maar zweven.

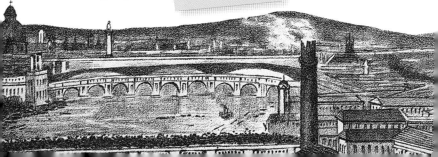

In de 19de eeuw lieten onder meer de Amerikaanse ingenieur Chanute en de Franse zeekapitein Le Bris zien hoe door speciaal ontworpen vleugels de opwaartse druk toenam. Toch konden de zweefvliegers van Chanute hooguit een paar honderd meter heuvelafwaarts vliegen.

Meer hete lucht

In de 19de eeuw werden locomotieven en schepen steeds vaker door stoommachines aangedreven. Uitvinders dachten vliegmachines aan te kunnen drijven door met behulp van stoom een propeller te laten draaien. Maar stoommachines waren gewoon te zwaar om mee te vliegen. De succesvolste vliegmachine op stoom was de Eole, een

vleermuisvleugelontwerp van de Franse ingenieur Clément Ader. Ze bleef maar een paar tellen in de lucht. Praktisch, zwaarder-dan-lucht, gemotoriseerd vliegen had een nieuw soort motor nodig.

In 1880 werd de benzinemotor uitgevonden, die veel lichter was dan de stoommachine. Eindelijk was er voor uitvinders een reële kans op het ontwerpen van een vliegmachine die echt werkte.

Het idee van de Wrights

In 1899 besloten twee broers uit Dayton in Ohio een poging tot zwaarder-dan-lucht-vliegen te wagen. Wilbur en Orville Wright dreven een rijwielzaak waar ze hun eigen fietsen maakten en verkochten. Ze lazen alles wat over vliegen geschreven was en bouwden daarna een zweefvlieger die ze in de zomer van 1900 naar Kitty Hawk brachten, een plaatsje aan de kust van North Carolina waar ze in de winderige duinen hun kamp opzetten.

EEN VAN DE ONTWERPEN VAN GEORGE CAYLEY VOOR EEN BEMANDE ZWEEFVLIEGER. CAYLEY WIST IN THEORIE HOE TE VLIEGEN, MAAR DAT VIEL IN DE PRAKTIJK TEGEN.

De kneepjes van het vak

De gebroeders Wright benaderden het vliegen veel systematischer dan anderen. Dag in dag uit voerden ze experimentele zweefvluchten uit in de duinen

en analyseerden wat er fout was gegaan als ze neerstortten. Geleidelijk aan leerden ze hoe je een luchtvaartuig moet besturen en hoe je hun zweefvlieger in de lucht kunt beheersen (neus omhoog of omlaag), bij slingering (van de ene naar de andere kant) en in rolbeweging (vleugels gaan aan de ene kant naar beneden en omhoog aan de andere kant).

Die winter gingen ze terug naar hun werkplaats in Dayton om hun zweefvlieger aan te passen. Na nog twee zomers in Kitty Hawk monteerden de broers in 1903 een benzinemotor aan hun zweefvlieger.

Een historisch moment

In september 1903 brachten de gebroeders Wright hun *Flyer* naar Kitty Hawk. Maar ze kregen met allerlei tegenslag te maken en werden in de jacht om

VREEMDE WERELD
John Daniels uit Kitty Hawk die deze beroemde foto van de eerste vlucht van de gebroeders Wright maakte, had daarvoor nog nooit gefotografeerd.

GADEGESLAGEN DOOR ZIJN BROER WILBUR MAAKT ORVILLE WRIGHT OP 17 DECEMBER 1903 DE EERSTE VLUCHT BIJ KITTY HAWK.

de eerste vlucht bijna verslagen. Samuel Pierpoint Langley, een beroemde Amerikaanse geleerde, had dan al een fortuin aan belastinggeld uitgegeven in een officiële poging tot de eerste bemande zwaarder-dan-lucht-vlucht.

De Aerodrome, de grote door benzine aangedreven machine van Langley, was in oktober 1903 klaar. Maar toen deze vanaf een woonboot op de rivier de

Potomac opsteeg, plonsde ze direct het water in. Ook de tweede poging, op 8 december, liep fout af, waarbij de ongelukkige piloot bijna verdronk.

De jaren daarop sleutelden ze aan hun *Flyer* tot ze vluchten van ruim een halfuur konden maken. Maar pas in 1908, toen Wilbur hun luchtvaartuig onder enorme publieke belangstelling in

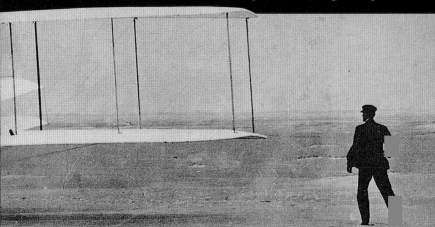

Hierdoor kregen de gebroeders Wright vrij spel en op 17 december 1903 voerden ze vier gemotoriseerde vluchten uit. De eerste, van Orville, duurde 12 seconden. De laatste, van Wilbur, bestreek 260 m in 59 seconden.

Deze eerste gemotoriseerde vluchten maken nu deel uit van de luchtvaartgeschiedenis, maar in die tijd maakten de kranten er amper melding van. Eén minuut in de duinen vliegen klinkt ook niet echt geweldig. Maar de gebroeders Wright wisten dat het om een doorbraak ging.

Frankrijk demonstreerde, kregen ze de erkenning als eersten een lange, gecontroleerde zwaarder-dan-lucht vlucht te hebben uitgevoerd.

WILBUR WRIGHT NAM IN 1908 EEN PASSAGIER MEE OMHOOG. VROUWELIJKE VLIEGERS BONDEN HUN ROK MET EEN TOUW OM HUN ENKELS VAST, ZODAT NIEMAND HUN ONDERGOED KON ZIEN.

KIJK, DAAR GAAT IE

Zou jij in een klein, gammel vliegtuig hebben durven vliegen dat werd aangedreven door een bromfietsmotor? De eerste vliegeniers moeten wel ontzettend moedig zijn geweest, want vaak brachten ze het er niet levend af. Toch zorgde de pioniersgeest voor een constante aanvoer van piloten die alles voor de roem op het spel durfden zetten.

DE PRIMITIEVE OORWARMERS DIE LOUIS BLÉRIOT DROEG, WAREN IN EEN OPEN COCKPIT HARD NODIG.

Op hoop van zegen

In de vroege ochtend van 25 juli 1909 klom een man met een hangsnor en een nauwsluitend hoofddeksel in de stoel van een vliegmachine in een weiland aan

EEN DRIE-CILINDER MOTORFIETS-MOTOR DREEF HET VLIEGTUIG AAN WAARMEE BLÉRIOT IN JULI 1909 VLOOG.

BLÉRIOTS VROUW WILDE NIET DAT HIJ OOIT NOG ZOU VLIEGEN

de noordkust van Frankrijk. Louis Blériot ging op weg om de prijs van 1000 Engelse ponden te winnen die een Britse krant had uitgeloofd voor degene die als eerste over het Kanaal naar

Engeland zou vliegen. Hoewel de afstand maar 32 km was, was dit een enorm waagstuk in een fragiel vliegtuig van hout, touw en linnen, aangedreven door een primitieve bromfietsmotor.

O p het nippertje
Blériot steeg op en verdween in de ochtendmist terwijl hij met 48 km/u vlak boven zee vloog. Hij had geen kompas en liep Engeland bijna mis. Gelukkig zag hij na ongeveer 20 minuten de witte rotsen van Dover. Hij landde zo hard op een weiland vlakbij het kasteel van Dover, dat de wielen van zijn vliegtuig het begaven.

O p naar de roem
Blériots vlucht duurde slechts 36 minuten, maar baarde veel opzien. Niemand had ooit gedacht dat een vliegtuig over water van het ene naar het andere land zou kunnen vliegen. Blériot werd een held en in Europa brak een ware vlieggekte uit.

Tot aan deze Kanaaloversteek betekende vliegen alleen iets voor een handjevol enthousiastelingen in Europa en de Verenigde Staten, mannen zoals Blériot en de gebroeders Wright. Een maand na de vlucht van Blériot waren bijna alle piloten ter wereld aanwezig bij de allereerste vliegshow bij het Franse Reims. Het waren er welgeteld 22.
Toch stroomde ruim een half miljoen mensen toe om de vliegeniers aan het werk te zien. Er was volop spanning en sensatie – één piloot vloog in een hooiberg – maar de meeste mensen stonden al versteld dat ze een vliegmachine zagen vliegen.

17

Vliegkoorts

De jaren daarop leerden honderden avontuurlijke jonge mannen en vrouwen vliegen. Ze werden

VREEMDE WERELD

TIJDENS DE VLIEGRACE PARIJS-MADRID WERD DE FRANSE MINISTER VAN OORLOG IN 1911 GEDOOD DOOR EEN NEERSTORTEND VLIEGTUIG EN RAAKTE DE PRESIDENT GEWOND.

Vliegraces

Er werden lange-afstandswedstrijden georganiseerd van Londen naar Manchester, van Parijs

aangetrokken door de spanning en door de kans om beroemd te worden. Vliegshows werden door enorme menigten bezocht en de opwinding steeg ten top tijdens de langeafstandsvluchten van moedige piloten die nieuwe records vestigden. Zoals Georges Chavez, die in 1910 als eerste de Alpen over vloog, en Roland Garros die in 1913 vanuit Frankrijk over de Middellandse Zee naar Noord-Afrika vloog.

THOMAS SELFRIDGE KWAM ALS EERSTE OM BIJ EEN VLIEGTUIGONGELUK. HET VLIEGTUIG WERD TIJDENS DIE VLUCHT OP 17 SEPTEMBER 1908 BESTUURD DOOR ORVILLE WRIGHT.

KLIK OP...
http://users.belgacom.net/
leer_vliegen

naar Madrid en van Parijs naar Rome. Deze verliepen vrij chaotisch. Om niet te verdwalen volgden de piloten vaak wegen of spoor- lijnen. Als ze

te raken! Zijn vrouw volgde hem per trein en verpleegde hem na ieder ongeluk.

DE FRANSE PILOOT LOUIS PAULHAN BESTUURT IN 1910 OP EEN FARMAN TWEEDEKKER OP WEG NAAR DE EINDZEGE IN DE LUCHTRACE VAN LONDEN NAAR MANCHESTER. ER WAREN MAAR TWEE DEELNEMERS VOOR DE FORSE PRIJS VAN 10.000 ENGELSE PONDEN.

FIRST AVIATION MEETING IN ENGLAND.

CODY
DELAGRANGE
FARMAN
SOMMER
LEBLON
MOLON
PREVOT
DE LA VAUX
& OTHER
AVIATORS ENGAGED.

DONCASTER
15TH TO 23RD OCTOBER
1909.

verdwaalden, wat nogal eens gebeurde, landden ze in een weiland en vroegen de weg. Vaak maak- ten maar twee of drie vliegeniers de race af en het platteland lag bezaaid met de gehavende wrakken van toestellen die de eindstreep niet hadden gehaald.

In 1911 nam de Amerikaan Cal Rodgers de uitdaging aan om van kust tot kust over de Verenigde Staten te vliegen. Hij deed er 7 weken en 18 ongelukken over om van New York in Californië

POSTER VOOR EEN VAN DE VLIEGSHOWS WAAR DE TOESCHOUWERS VAAK VOOR HET EERST EEN GLIMP VAN EEN VLIEGTUIG OPVINGEN.

Onveiligheid

Vliegen was in die begintijd enorm gevaarlijk. De piloot droeg bijna nooit een veiligheidsgordel en de passagiers zaten op een vleugel en hielden zich aan een van de stijlen vast, of wrongen zich achter de piloot alsof ze achter- op een motorfiets zaten. Vaak begaf de motor het. Gelukkig konden de eerste toestellen goed zweven zonder aandrijving, zodat de piloot nog naar een open plek kon zoeken om tijdig te landen. Maar de vliegtuigen waren ook kwetsbaar. Soms viel er tijdens de vlucht gewoon een vleugel af, met alle gevolgen van dien.

Vliegen was geen pretje. In de cockpit hadden de weerelementen vrij spel. Piloten bevroren bij koud weer en raakten doorweekt als het regende. Bij veel toestellen besproeide de motor de piloot met stinkende olie.

Stok en touw

De eerste vliegtuigen waren alle van hout, stof en pianodraden gemaakt en werden in kleine werkplaatsen met de hand vervaardigd. Ook hadden ze allemaal een benzinemotor en een propeller. Toch waren er ook grote verschillen omdat een inventieve ontwerper soms van een heel ander uitgangspunt uitging. Soms zat de propeller aan de achterkant, soms aan de voorkant. Eendekkers hadden één vleugel, terwijl andere er twee of zelfs drie hadden (twee- en driedekkers). Bij sommige 'canard'-(eend-)vliegtuigen zat de 'staart' voor de piloot. Vaak zagen ze eruit alsof ze nooit zouden vliegen en soms was dat ook zo.

Twee is beter dan een

Geleidelijk aan werden tweedekkers met een propeller aan de voorkant de norm. Eendekkers waren sneller omdat ze minder stijlen en draden hadden die veel luchtweerstand opleverden. Maar met hun twee vleugels hadden tweedekkers twee keer zoveel

HET BALKON OP DE NEUS VAN DE *ILYA MUROMETS* BOOD EEN FANTASTISCH, ZIJ HET WAT WINDERIG UITZICHT.

stijgkracht. Bovendien waren tweedekkers veiliger. Eendekkers vielen bij een te krappe bocht uit elkaar!

Sneller, hoger…

Aleen al gemeten naar snelheid werd er in de eerste 10 jaar van de luchtvaart-geschiedenis veel vooruitgang geboekt. In 1903 vloog de *Flyer* van de gebroeders Wright 48 km/u, in 1914 bedroeg het wereld-snelheidsrecord al 147 km/u.

Piloten hadden toen al tot op 6100 meter hoogte gevlogen en konden adem-benemende stunts zoals een looping uitvoeren. Ook waren er al met drijvers uitgeruste vliegtuigen die vanaf een meer of zee konden opstijgen en landen.

EEN PASSAGIER HOUDT ZICH OP DE VLEUGEL VAN EEN TWEEDEKKER STEVIG VAST BIJ DE START.

VREEMDE WERELD

DE EERSTE PARACHUTESPRONG UIT EEN VLIEGTUIG VOND PLAATS IN 1912. TOCH WEIGERDE HET BRITSE LEGER ZIJN PILOTEN PARACHUTES TE GEVEN, OMDAT DAT VOLGENS HEN LAFHEID ZOU AANWAKKEREN.

En groter

Men ging nu ook grotere vliegtuigen bouwen. In 1913 ontwierp een jonge Rus, Igor Sikorsky, het eerste vliegtuig met meer dan één motor. Zijn *Ilya Muromets*, die het jaar daarop ging vliegen, had vier motoren en kon 16 mensen vervoeren. Het was het eerste vliegtuig met een toilet en elektrisch licht. Het had ook een open balkon in de neus waar je op kon staan en een prachtig uitzicht had.

Van speeltje naar vechtmachine

Ondanks deze vooruitgang waren vliegtuigen er vooral voor vermaak. Een duur speeltje voor volwassenen voor een sportieve vrijetijdsbesteding. Dit werd heel anders toen in 1914 de Eerste Wereldoorlog uitbrak. Tijdens de vier jaren van deze oorlog werden er tienduizenden vliegtuigen gebouwd om oorlog in de lucht te voeren. Met spijt dachten velen terug aan de onschuldige tijd voordat vliegtuigen dodelijke vechtmachines werden.

21

DE GOUDEN JAREN

De jaren '20 en '30 van de 20ste eeuw worden vaak de 'gouden jaren van de luchtvaart' genoemd. Vliegeniers werden als coole, aantrekkelijke, de dood trotserende helden vereerd en konden net zo beroemd worden als vorsten en filmsterren. Ze vlogen in de nieuwste toestellen, die almaar verder, hoger en sneller gingen, waardoor vliegen gaandeweg steeds veiliger en comfortabeler werd.

LINDBERGH INSPECTEERT VOOR DE OVERSTEEK DE MOTOR WAAR ZIJN LEVEN VAN AF- HANGT.

Een gedurfde stap

De beroemdste vliegenier uit het 'gouden tijdperk' was Charles Lindbergh, al was hij op 20 mei 1927 nog een onbekende Amerikaanse piloot. Die dag vertrok hij uit New York in de hoop als eerste non-stop naar Parijs te vliegen.

Bij het opstijgen stortte hij bijna neer vanwege het gewicht van zijn vliegtuig dat boordevol benzine voor de lange vlucht zat. Eenmaal in de lucht was hij helemaal op zichzelf aangewezen. Hij had geen radio en moest het in zijn nauwe cockpit met weinig meer stellen dan een klok, een onbetrouwbaar kompas, een waterfles en vijf boterhammen. In zijn oren zaten watten tegen het enorme lawaai van de motor en recht voor hem werd het zicht belemmerd door een grote benzinetank. Maar hij was vastberaden en kalm.

Weinig kans
Men versleet Lindbergh voor gek dat hij de 5796 km lange solovlucht in een vliegtuig met slechts één motor wilde maken. Een

LINDBERGHS VLIEGTUIG WAS VERNOEMD NAAR ZIJN SPONSORS, EEN GROEP ZAKENLUI UIT ST. LOUIS.

lang geen land en hij zou reddeloos verloren zijn als de motor het begaf en hij op de koude oceaan moest landen. Die nacht deed Lindbergh wanhopig zijn best om wakker te blijven. Als hij in slaap viel zou zijn vliegtuig een stuurloze duikvlucht maken. Af en toe vloog hij gevaarlijk dicht boven de golven, in de hoop dat het ijskoude, opstuivende water hem bij de les zou houden.

TEGEN EEN SCHIP BENEDEN HEM: 'WELKE KANT OP IS IERLAND?'

week daarvoor waren twee ervaren Franse vliegeniers, François Coli en Charles Nungesser, op weg van Parijs naar New York verdwenen. Maakte Lindbergh wel een kans?

Het gevaarlijkste was de oversteek van de Atlantische Oceaan. Lindbergh zag 15 uur

DE BEROEMDE AMERIKAANSE PILOTE AMELIA EARHART WAS IN MEI 1932 DE EERSTE VROUW DIE SOLO DE ATLANTISCHE OCEAAN OVER VLOOG.

L ucky Lindy

Gek genoeg bleef Lindbergh
niet alleen wakker, maar vond hij
ook zijn weg over de eentonige
oceaan. En zijn motor liet hem
niet in de steek. Toen hij bijna
34 uur na zijn vertrek in Parijs
landde, viel hem daar een van de
uitbundigste ontvangsten ooit
ten deel. De Fransen noemden
hem 'Lucky Lindy', al waren zijn
kundigheid en enorme moed
minstens zo belangrijk geweest.

D e dood of de gladiolen

Hoewel niemand echt aan de
roem van Lindbergh kon tip-
pen, waren er heel wat andere
avonturiers die hun leven
voor roem en rijkdom op het
spel wilden zetten. Elk land
had zijn helden. De Britten
hadden John Alcock en
Arthur Brown, die in 1919
de eerste non-stopvlucht
over de Atlantische Oce-
aan maakten. Ze landden
trouwens met de neus in
een Iers moeras. En er
waren de vrouwelijke
sterpiloten, met als
beroemdste Amelia

Earhart, de Amerikaanse die in
1932 solo over de Atlantische
Oceaan vloog. De merkwaardig-
ste beroemdheid was
misschien wel Douglas
Corrigan, die in 1938 be-
sloot om van New
York naar Cali-
fornië te vliegen,
maar al snel
na het

HIER NOG
BALANCEREND
BOVEN EEN COCKPIT
ZAL DEZE STUNTVLIEGER
STRAKS IN VOLLE VLUCHT
VAN HET ENE VLIEGTUIG
NAAR HET ANDERE LOPEN.
DIT SOORT STUNTS WAS
LEVENSGEVAARLIJK.

opstijgen
verdwaalde en uiteindelijk
in Ierland landde. 'Verkeerde
kant op, Corrigan' werd er in
Amerika op hem getoast!

O p tournee

Vliegen was opwindend vanwege
het gevaar. In de Verenigde
Staten verdienden veel piloten
hun geld als rondtrekkende
'stuntvliegers'. Ze zetten
imposante vliegshows op, vol
met idiote stunts. Zoals een

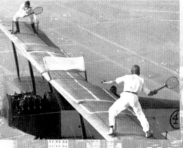

piloot die hoog boven de grond uit een cockpit klom om een handstand op de vleugel te maken of tijdens de vlucht van het ene naar het andere vliegtuig en terug te klimmen. Om het publiek te prikkelen ensceneerden stuntvliegers ongelukken door opzettelijk op een gebouw in te vliegen, of ze vielen zogenaamd per ongeluk uit hun vliegtuig en openden pas op het allerlaatste moment hun parachute. Sommige stuntvliegers verwierven landelijke bekendheid, zoals Bessie Coleman met de bijnaam 'Queen Bessie'.

Ze gingen vrij laconiek met gevaar om en volgens één vlieger kregen ze zó slecht betaald, dat ze nog het meeste gevaar liepen te verhongeren!

Vreemde wereld

Uit de tarievenlijst voor stunts van een showgroep in 1920: bokspartij op een vleugel: $ 250,-. Een huis raken: $ 1200,-. Een vliegtuig in volle vlucht opblazen: $ 1500,-.

Raceduivels

Voor de vliegraces in Amerika was veel belangstelling. Er namen schitterende mensen aan deel, zoals Roscoe Turner, die met een tamme leeuwenwelp (met een eigen parachute) in zijn cockpit vloog. Enkele bizarre vliegtuigen waren louter voor de snelheid ontworpen. Zoals de *Gee Bee Racer*, een enorme motor waar korte, brede vleugels aan bevestigd waren. Het was vreselijk moeilijk om ermee te vliegen en het kostte vijf piloten de kop, al won de uitstekende piloot Jimmy Doolittle er in

1932 de National Air Races mee, met een gemiddelde snelheid van 476 km/u.

S upersnelle watervliegtuigen

Watervliegtuigen waren destijds de snelste vliegtuigen ter wereld. Op het land waren er nog maar weinig landingsstroken en water bood in elk geval een onbeperkte landingsbaan. Tijdens de jaarlijkse watervliegtuigenwedstrijd om de Schneider Trophy in 1931

W ereldwijd vliegen

De luchtvaart ontsloot ook routes voor toekomstige, geregelde passagiersvluchten. De vliegeniers vlogen over woestijnen en bergketens, dwars over Afrika en over de woestenij van Centraal-Azië, zodat plekken zonder weg-, spoor-

IN 1932 VLOOG JE IN 8 DAGEN VAN ENGELAND NAAR AUSTRALIË

vloog een Supermarine als eerste vliegtuig sneller dan 400 mijl/u (644 km/u). Nog nooit had een mens zich zo snel verplaatst.

of telefoonverbinding in contact kwamen met de buitenwereld.

De vliegeniers waren niet altijd welkom. Toen de beroemde Franse piloot Jean Mermoz een noodlanding maakte in de Saharawoestijn, werd hij door stamleden gevangengenomen. Ze lieten hem pas gaan nadat er losgeld was betaald.

SUPERMARINE WAS TROTS OP HET SUCCES VAN ZIJN WATERVLIEGTUIGEN. REGINALD MITCHELL, DIE VOOR HET BEDRIJF VLIEGTUIGEN ONTWIERP, ZOU LATER HET SPITFIRE GEVECHTSVLIEGTUIG ONTWERPEN.

EEN VAN DE SNELSTE VLIEGTUIGEN IN DE JAREN '30 VAN DE 20STE EEUW WAS DE GEE BEE. HIER VLIEGT EEN PILOOT MET EEN GERECONSTRUEERDE VERSIE OP ZIJN KOP BOVEN HET ZUIDWESTEN VAN DE VS.

Met gevaar voor eigen leven

Elke piloot die langeafstands-vluchten maakte, kreeg te maken met bijna-ongelukken. Velen lieten het leven, vooral tijdens vluchten over de verlaten oceanen. De beroemdste vlieger van Australië, Charles Kingsford Smith, verdween in de Indische Oceaan

Hulp uit de lucht

Toch werd vliegen als een grote vooruitgang beschouwd. Wie in de jaren '20 van de 20ste eeuw op een afgelegen boerderij in Australië woonde, was maar wat blij met de eerste dienst van de 'vliegende dokters'. Eindelijk kon je bellen voor snelle medische zorg, waardoor vele levens werden gered. En in veel gebieden op aarde zorgde luchtpost voor de regelmatige bezorging van brieven; nog zo'n vitale verbindingslijn met de buitenwereld.

toen hij in 1935 van Engeland naar Australië vloog. Jean Mermoz verdween in 1936 boven het zuiden van de Atlantische Oceaan. Amelia Earhart verdween in 1937 in de Stille Zuidzee op een vlucht rond de wereld. Honderden vliegeniers was dit lot beschoren, al toonden ze ook aan dat lange-afstandsvluchten mogelijk waren.

27

Gestroomlijnd

De Duitse vlieg-
tuigbouwer
Hugo Junkers
liet zien dat
eendekkers
met metalen
vleugels ook
zonder stijlen
of draden toch
stevig konden
zijn. Het nieuwe,
gestroomlijnde
vliegtuig gleed met
minder luchtweerstand
door de lucht.

Ontwerpers

De piloten hadden niet kunnen
doen wat ze deden zonder de
inspanningen van vliegtuigontwerpers en -ingenieurs, die
vliegtuigen maakten die steeds
sneller en verder vlogen.

Voor een deel kwam dit door
betere motoren, die krachtiger
en betrouwbaarder waren. Een
vliegtuigmotor uit de jaren '30
van de 20ste eeuw was tien tot
twintig keer krachtiger dan in de
tijd van Louis Blériot.

Ook qua vliegtuigconstructie
werd enorme vooruitgang
geboekt. Onbeholpen gevallen
van doek, hout en draad waren
op hun retour. Hun plaats werd
ingenomen door glanzende
nieuwe machines van glad,
glimmend aluminium en staal.

In en uit de wind

Ingenieurs probeerden
via gigantische
windtunnels te
achterhalen
hoe ze de lucht-
weerstand kon-
den verminde-
ren. Zo bleek
dat als de wie-
len tijdens de
vlucht uit-
staken, de luchtweer-
stand onnodig toenam.

Dus ging men vlieg-
tuigen met intrekbare
landingsgestellen
bouwen. De wielen
werden na het opstijgen omhoog-
gehaald in de vliegtuigromp of in

de vleugel en voor de landing weer neergelaten. Dit kwam de prestaties zeer ten goede.

Op de automatische piloot

Naast betere vliegtuigen kwamen er ook betere instrumenten voor de piloten die ze bestuurden. Tot de jaren '30 van de 20ste eeuw vlogen de meeste vliegeniers 'op goed geluk'. Ze vertrouwden meer op hun instinct dan op de wijzerplaten in hun cockpit, die vaak maar wat aangaven.

Toch moesten zelfs ervaren piloten toegeven dat je 's nachts of bij zware bewolking veiliger vloog met een radio, een werkend kompas en een wijzerplaat met een 'kunstmatige horizon' die liet zien hoe je vloog. Toen de Amerikaanse

KLIK OP...
http://www.khbo.be/~becuwe/
luchtvaart 1100 _ download.html

eenogige piloot Wiley Post in 1933 solo rond de wereld vloog, had hij een automatische piloot aan boord die het toestel stabiel en horizontaal hield als hij zelf een dutje deed.

Einde van een tijdperk

Eind jaren '30 van de 20ste eeuw liep het gouden tijdperk van de luchthelden af. Betere vliegtuigen en instrumenten maakten het vliegen tamelijk veilig en om de oceaan over te steken heb je nu de moed en het geluk van Lindbergh niet meer nodig. Een ticket plus paspoort volstaat.

DE DUITSE FIRMA JUNKERS HAD DE PRIMEUR VAN VOLLEDIG METALEN VLIEGTUIGEN, ZOALS DIT DRIEMOTORIGE LIJNVLIEGTUIG UIT DE JAREN '30.

LUCHTSCHEPEN

De *Hindenburg* was vier keer zo groot als een jumbojet en het grootste luchtvaartuig ooit. Dit fameuze luchtschip bood rijke passagiers luxecruises in een tijd waarin vliegtuigen vooral als gevaarlijk speelgoed beschouwd werden. Het is dat luchtschepen nóg gevaarlijker bleken, anders had de toekomst van de luchtvaart er wel eens sigaarvormig uit kunnen zien.

Luxueus paleis

De *Hindenburg* leek meer op een schip dan op een vliegtuig. Het werd bestuurd door iemand die aan een scheepsrad stond, terwijl binnen het zilvergrijze omhulsel talloze bemanningsleden door de gangboorden zwermden.

In de jaren '30 bracht de *Hindenburg* passagiers van Europa naar Noord-Amerika. De reis duurde twee tot drie dagen, maar daar stond heel wat luxe tegenover. Misschien iets om even bij weg te mijmeren als je de volgende keer in een lijn-vliegtuig zit en je maal-tijd van je dienblad eet.

Want in de *Hindenburg* kon je over het promena-

PERSONEEL STAAT KLAAR VOOR DE THEE IN DE LUXE EETZAAL VAN EEN BRITS LUCHTSCHIP, DE *R100*.

dedek flaneren en door de schuin aflopende ramen naar de oceaan beneden turen. Het zachte motorgeronk werd enkel onderbroken door de gong die je voor het diner uitnodigde. Uiteraard met het fijnste tafellinnen en zilveren bestek, terwijl de kelners een delicate maaltijd opdienden en de

VREEMDE WERELD
AAN BOORD VAN DE *HINDENBURG* WERD ELKE DAG EEN KRANT GEDRUKT, ZODAT DE PASSAGIERS BIJ HET ONTBIJT HET LAATSTE NIEUWS KONDEN LEZEN.

lichter is dan lucht en dat het gevaarte in de lucht hield. Maar waterstof is licht ontvlambaar. Eén verdwaalde vonk, één klein gaslek en... *zwóei!* De gascellen van de *Hindenburg* waren van goudslagershuidje, materiaal dat gebruikt werd omdat het geen

pianist speelde. En wie moe was ging gewoon naar de eigen hut voor een dutje of frisse douche.

Dodelijke gascellen

Maar er was ook een keerzijde. De *Hindenburg* bestond voor een groot deel uit enorme zakken gevuld met waterstof, een gas dat

DE *HINDENBURG* DROEG EEN HAKENKRUIS, SYMBOOL VAN HET NAZI-REGIME DAT DESTIJDS IN DUITSLAND AAN DE MACHT WAS.

vonken veroorzaakte. Deze wat vreemde naam staat trouwens voor de binnenkant van een koeienmaag. Om de gascellen van één luchtschip te vullen had men een miljoen magen nodig!

KLIK OP...
www.history1900s.about.com
/library/weekly/aa102600a.htm

Nog geen miljoen koeien konden waterstof veilig in gebruik maken. Helium zou veiliger zijn geweest: het was lichter dan lucht en brandde niet. Maar de enige heliumbron ter wereld bevond zich in Texas en de Verenigde Staten wilden die met niemand delen. De anderen moesten het maar met waterstof doen.

V roeg bij de pinken

Ondanks het veiligheidsprobleem hadden luchtschepen lange tijd een voorsprong op vliegtuigen. Niet de Wrights maakten de eerste aangedreven vlucht, maar ene Henri Giffard. Deze Fransman monteerde in 1852 een kleine stoommachine aan

Z eppelin

De man wiens naam voor altijd met luchtschepen verbonden zal blijven, is graaf Zeppelin. Deze Duitse aristocraat bouwde zijn eerste luchtschip in 1900 en rond 1910 waren zijn 'zeppelins' betrouwbaar genoeg om er met toeristen tochtjes in te maken.

Tijdens de Eerste Wereldoorlog kregen de zeppelins een minder prettige bestemming. Onder de nachthemel voortpuffend over de Noordzee, lieten Duitse luchtschepen bommen op Londen en op andere delen van Engeland vallen. De angst was groot, maar de schade bleef beperkt en vele werden brandend neergehaald.

een ballon en zeilde met zijn 'bestuurbare luchtballon' door de lucht.

In 1901 vloog de in Brazilië geboren Parijzenaar Alberto Santos-Dumont een halfuur met een luchtschip rond de Eiffeltoren. De Wrights waren toen hun zweefvliegers nog aan het testen.

HENRI GIFFARDS BESTUURBARE LUCHTBALLON VLOOG ONGEVEER 8 KM/U BIJ WINDSTIL WEER.

V liegdekschepen

Na de Eerste Wereldoorlog raakte de marine van de Verenigde Staten geïnteresseerd in lucht-

schepen, om ze als vliegdekschepen in de lucht te gebruiken. Dit
klinkt misschien wat vreemd,
maar was nog niet zo'n gek idee.

De marine haakte een vijftal
kleine gevechtsvliegtuigen aan de
onderkant van een luchtschip.
Kwam er een opdracht, dan klom
een piloot in een van de gevechtsvliegtuigen en men ontgrendelde
de haak om hem te lanceren. Na
terugkomst haakte hij weer tijdens de vlucht aan het luchtschip
aan. Lastig, maar niet onmogelijk.

Ongeschikt voor de taak

Het idee van vliegdekschepen
in de lucht werkte niet. De
marine van de VS kreeg ze,
zelfs met helium in plaats
van waterstof, niet veilig. Bij
gierend harde wind of met
storm was het in een luchtschip geen pretje. De een
na de ander verongelukte.
Uiteindelijk gaven de
Amerikanen het op.

Groot-Brittannië
had een rampzalige
ervaring met lucht-
schepen. In okto-
ber 1930 begon
een Duits lucht-
schip, de *R101*, aan
zijn eerste reis van
Engeland naar
India. Voor deze
speciale gebeurtenis
waren er veel voor-
aanstaande personen

aan boord. Men
kwam niet verder
dan Frankrijk. Op
een winderige, regen-
achtige nacht vloog men
tegen een helling. Van de
54 passagiers kwamen er 48 om.

Duits zelfvertrouwen

Kennelijk hadden alleen de Duitsers succes met luchtschepen. In
1929 vervoerde de *Graf Zeppelin*
53 passagiers en bemanningsleden
tijdens een drieweekse reis om de
wereld. Vergezeld van de zelfs
nog grotere *Hindenburg* verzorgde
deze regelmatige en betrouw-
bare, zij het ook vreselijk dure,
transatlantische verbindingen.

De Duitsers meenden dat
de toekomst van de lucht-
vaart met gas gevuld was en
sommige Amerikanen wa-
ren het met hen eens. Het
Empire State Building
werd gebouwd met een
afmeermast voor
luchtschepen op
de spits. Maar
hun optimisme
was geen
lang leven
beschoren.

AANVANKELIJK
STOND ER EEN
46 M HOGE
AFMEERMAST
VOOR LUCHT-
SCHEPEN OP DE
TOP VAN HET
EMPIRE STATE
BUILDING.

34

Een ramp!

De toekomst van de zeppelin eindigde abrupt op de avond van 6 mei 1937. De *Hindenburg* kwam aan bij Lakehurst in New Jersey, na een reguliere vlucht uit Europa. Bij het aanmeren verscheen er een vuurbal bij de achtersteven, mogelijk omdat door een vonk

DE *HINDENBURG* BRANDT IN 1937, WAARSCHIJNLIJK ALS GEVOLG VAN STATISCHE ELEKTRICITEIT OP DE BRANDBARE HUID.

van statische elektriciteit de verf op de huid was gaan branden. Het gas vatte vlam, met als gevolg een enorme vuurzee. Van de 97 mensen aan boord overleefden er 62. Dat hadden er meer kunnen zijn als men had gewacht tot het schip iets verder was gedaald; velen sprongen direct naar beneden.

De ramp met de *Hindenburg* luidde het einde in van het reizen met luchtschepen. Men associeerde het onbewust met de vuurdood en de luchtschepen stierven uit, als dinosauriërs van de lucht.

VREEMDE WERELD

VAN DE 161 GEBOUWDE LUCHTSCHEPEN VERONGELUKTEN ER 60. ALS ER VAN DE LIJNVLIEGTUIGEN VAN NU NET ZO VEEL ZOUDEN VERONGELUKKEN, ZOU DAT ZO'N 12 GROTE VLIEGRAMPEN PER DAG BETEKENEN!

35

REIZEN MET STIJL

E en reis met een vliegtuig maken was een heel avontuur voor de weinige passagiers die dat in de begintijd aandurfden. Naast sterke zenuwen en een sterke maag had je er ook een stevig banksaldo voor nodig, al stond daar heel wat stijl en luxe tegenover. Verbeteringen in vliegtuig-ontwerp en verkeersleiding leidden uiteindelijk tot het veilige, comfortabele, maar ook wat saaiere vliegen van nu.

PASSAGIERS GAAN AAN BOORD VAN EEN DRIEMOTORIGE FORD, DE 'TIN GOOSE', DIE IN DE JAREN '20 VAN DE VORIGE EEUW HET BESTE LIJNVLIEGTUIG VAN AMERIKA WAS.

Warm en lawaaierig
We schrijven de jaren '20 van de 20ste eeuw en jij maakt met het nieuwste lijntoestel, de Ford 'Tin Goose', een reis door de Verenigde Staten.

Op twee rijen rieten stoelen zit een tiental passagiers. Het is een warme dag en iedereen in de kleine passagiers-cabine zit te zweten (in de winter had iedereen hier in zijn overjas zitten rillen van de kou).

Gelukkig kun je de ramen openzetten voor wat frisse lucht, al slaat dan wel meteen het zware geronk van de drie motoren naar bin-nen. Zelfs met de ramen dicht is dat trouwens een hels kabaal, alsof je vlak naast een pneuma-tische boor zit. Vandaar dus die oordopjes die je bij het aan boord gaan hebt gekregen.

En wil je vooral niets uit het raam gooien, zeker niet boven de stad? De mensen op de

NET ALS HUN BAGAGE WERDEN DE PASSAGIERS GEWOGEN OM TE ZIEN OF HET VLIEGTUIG NIET TE ZWAAR BELADEN WERD.

OP EEN RONDVLUCHT BOVEN HET MEER VAN
GENÈVE IN 1929 HOUDEN DE PASSAGIERS
VANWEGE DE TOCHT HUN JASSEN AAN.

grond moeten toch al goed
uitkijken, want alles wat in
de toiletpot terechtkomt,
valt direct naar beneden uit
een gat onder de romp!

Maag op hol
Bij slecht weer is vliegen
nog veel erger. Het
vliegtuig schudt alle kanten
op en de passagiers braken
algauw in hun 'boerkopjes'.
(De eerste stewardessen
die in 1930 in dienst
kwamen waren gediplomeerde
verpleegsters die de luchtzieke
passagiers moesten verzorgen.)
   Wordt het weer te slecht,
dan maakt de piloot een
noodlanding op een kleine
landingsstrook, of desnoods

op een akker, waarna de
geradbraakte passagiers
– vaak maar wat blij dat ze
terug op aarde zijn – hun
reis per trein vervolgen.

Waar zijn we?
In 1919 begon men in
Europa met regelmatige
passagiersvluchen. Maar
zoals gezegd, dat was in
het begin geen pretje, en
ook niet erg veilig. In de
jaren '20 volgden de
piloten nog vooral
spoorlijnen en wegen om
zich te oriënteren, zeker

LUCHTVERKEERSLEIDING ANNO
JAREN '20: DOOR DE ZWAAIENDE
RODE VLAG WEET DE PILOOT DAT DE
LANDINGSBAAN NOG NIET VRIJ IS.

37

bij mist of laaghangende bewolking. Dwars over land een stuk afsnijden was dé manier om te verdwalen. En als twee piloten in tegenovergestelde richting dezelfde route volgden… ai! Alleen op de vliegvelden was er verkeersleiding toestemming konden vragen om te landen of op te stijgen. Vliegtuigen moesten ook 's nachts veilig kunnen vliegen, dus werden er langs belangrijke luchtwegen rijen reuzenbakens geplaatst, die als een

PASSAGIERS HIELPEN BIJ BOCHTEN SOMS SCHUINHANGEND MEE

iets van luchtverkeersleiding: een functionaris zwaaide met een groene vlag als het veilig was, en met een rode bij gevaar.

Even bijlichten
Dat moest beter. Dus werden er in de jaren '30 in Europa en in de VS goede luchthavens gebouwd en bakende men 'luchtwegen' af, routes die lijnvliegtuigen van de ene stad naar de andere moesten volgen. De lijnvliegtuigen kregen radio aan boord, zodat ze op het vliegveld aan de

soort vuurtorens met hun felle lichtbundels de lucht in schenen.

Schokdempen
Nieuwe vliegtuigen maakten het reizen sneller en prettiger. De Douglas DC-3 werd in 1936 geïntroduceerd en vervoerde ook bij nacht en ontij zijn 21 passagiers in ongeveer 18 uur van de ene kust van de VS naar de andere. Schokdem-

pers en geluidsisolatie spaarden lijf en leden. En net als nu waren er al maaltijden aan boord, al was er geen amusement. Vliegen was nog niet aantrekkelijk genoeg om mensen van de trein weg te lokken, maar het begin was er.

Door de lucht en over het water
Wie in de jaren '30 over zee naar een ver land vloog, deed dat per vliegboot: prachtige machines met vleugels die aan een soort van scheepsromp zaten. Landen deden ze met een klap en het opstuivende water spatte op de ramen uiteen, maar boven zee voelde je je nu eenmaal veiliger in een machine die op het water kon landen.

Vliegboten maakten nieuwe routes mogelijk, zoals van Engeland naar Zuid-Afrika en van Californië naar Hongkong. Deze reizen duurden van een paar dagen tot ruim een week. Tegen

DE EERSTE TIEN JAAR NA DE
INTRODUCTIE VAN DE BOEING-707
VERVIERVOUDIGDE HET
AANTAL INTERNATIO-
NALE LUCHTREIZEN.

de avond tankten de vliegboten bij op een eiland in een lagune in de Stille Oceaan of op een meer ergens in Afrika en de passagiers brachten de nacht door in een hotel. In Afrika moesten ze de volgende morgen soms eerst wat nijlpaarden verjagen voor ze konden opstijgen. Per vliegboot reizen was iets heel bijzonders dat alleen voor een klein aantal welgestelden was weggelegd.

Druk om te slagen

In de jaren '40 gingen de lijnvliegtuigen hoger vliegen. Voor het eerst hadden ze drukcabines, net als de huidige grote lijnvliegtuigen. Hierdoor konden ze passagiers hoog boven het aardoppervlak in de ijle lucht van de stratosfeer vervoeren. Weliswaar konden de ramen niet meer open, maar men kon nu boven de wolken en de stormen vliegen, wat het comfort van de vlucht zeer ten goede kwam.

Rond de jaren '50 konden lijnvliegtuigen 100 passagiers in één keer over de oceaan vervoeren. Ze landden op moderne internationale luchthavens, met behulp van hun radar en een goede luchtverkeersleiding.

Maar langeafstandsvliegen was nog steeds erg duur. Voor veel mensen was een vlucht van Europa naar de VS iets wat je hooguit eens in je leven deed.

Straalaandrijving

Met de komst van de straalverkeersvliegtuigen werd het lange-afstandsreizen snel populairder. De Boeing 707 met straalaandrijving die in 1958 over de Atlantische Oceaan ging vliegen, haalde 960 km/u en was twee keer zo snel als een lijnvliegtuig met propeller. Dit halveerde de reistijd van New York naar Europa en was nog goedkoper ook.

Massavervoer

Vliegen was makkelijker en vrij goedkoop geworden en kwam nu binnen het bereik van mensen die daar eerder niet eens van hadden durven dromen. Begin 21ste eeuw vervoerden lijnvliegtuigen met straalaandrijving wereldwijd meer dan een miljard mensen per jaar. Niemand vindt het meer gek om voor een vakantie op Ibiza of in India op een vliegtuig te stappen. Niet één stad is meer dan 24 uur van de andere verwijderd.

Of, zoals Juan Trippe, de baas van PanAm, de eerste maatschappij die met de Boeing 707 vloog, het kernachtig zei: 'We hebben de aarde kleiner gemaakt.'

UIT DE FUTURISTISCH OGENDE LUCHTHAVEN VAN LOS ANGELES BLIJKT HOEZEER DE LUCHTVAART ZICH SINDS HET TIJDPERK VAN DE 'TIN GOOSE' EN DE RODE WAARSCHUWINGS-VLAG HEEFT ONTWIKKELD.

VREEMDE WERELD

CHICAGO O'HARE, DE DRUKSTE LUCHTHAVEN TER WERELD, VERWERKTE IN 2001 912.000 VLUCHTEN, ZO'N 2500 PER DAG. WEKELIJKS PASSEREN HIER RUIM EEN MILJOEN MENSEN.

VLIEGEN VOOR VREDE

Helaas worden vliegtuigen van oudsher ook vaak voor oorlogsdoeleinden gebruikt. De eerste vliegtuigen waren zo weinig betrouwbaar en zo moeilijk te besturen dat ze eerder de piloot doodden dan iemand anders. Maar na verloop van tijd werden gevechtsvliegtuigen verschrikkelijk sterke machines met een hele reeks bommen, projectielen en vuurwapens aan boord. En de piloten werden gevierde helden.

IN 1914 WAS DE TECHNIEK VAN HET BOMMENWERPEN NOG ERG PRIMITIEF. ZELFS VAN GERINGE HOOGTE TROF MEN ZELDEN NAUWKEURIG DOEL.

Maak de paarden niet bang

Toen het vliegtuig werd uitgevonden, werden oorlogen nog steeds uitgevochten door mannen te paard of te voet. Een aantal ouderwetse legerofficieren wilde de motoren. Toch was duidelijk dat zelfs de primitieve vliegtuigen van toen nuttig konden zijn bij de oorlogsvoering. Ze waren snel en konden als 'ogen in de lucht' verslag uitbrengen over vijandelijke manoeuvres. En ze konden iets op de vijand laten vallen. Bommen, bijvoorbeeld.

IN 1918 SNEUVELDEN DE MEESTE VS-PILOTEN AL TIJDENS DE OPLEIDING

niets met de nieuwerwetse vliegmachines te maken hebben. Ze waren bang dat hun paarden zouden schrikken van het geluid van

Dus stonden de meeste militairen positief tegenover de nieuwe uitvinding, al wisten ze niet hoe bruikbaar die zou zijn.

De eerste gevechtsvliegtuigen

In 1914 werd Europa opgeschrikt door de Eerste Wereldoorlog. Miljoenen soldaten trokken ten strijde, evenals een paar honderd fragiele vliegtuigen. Boven de soldaten die zich in de loopgraven ingroeven, vlogen vliegtuigen om

Om hun troepen te beschermen zond men aan beide kanten vliegtuigen de lucht in die de vijand konden neerschieten. Aanvankelijk beschoten de piloten elkaar met pistolen of geweren, maar al snel verschenen

EEN NAGESPEELD LUCHTGEVECHT UIT DE EERSTE WERELDOORLOG TUSSEN EEN S.E.5A TWEEDEKKER EN DE BEROEMDE RODE FOKKER DRIEDEKKER VAN BARON MANFRED VON RICHTHOFEN.

de eerste vliegtuigen met machinegeweren aan boord.

foto's van hun positie te maken. Soms liet men met de hand een bom over de rand van het vliegtuig vallen.

Luchtgevechten

De gevechtstoestellen schoten meestal bijna weerloze verkenningsvliegtuigen of bommenwer-

43

pers neer. Maar soms hielden ze luchtgevechten, waarin tientallen gevechtsvliegtuigen om elkaar heen cirkelden en doken om een vijand in het vizier te krijgen zonder zelf te worden neergeschoten.

Journalisten riepen de gevechtsvliegers uit tot 'luchtridders'. De beste piloten werden 'azen' genoemd en groeiden uit tot legendarische helden.

De Rode Baron

De Duitse baron Manfred von Richthofen was de beroemdste. Hij stond bekend als de Rode Baron en hij zou 80 'prooien' hebben verschalkt. Het vliegeskader van von Richthofen had als bijnaam 'Richthofens vliegend circus', omdat alle vliegtuigen in diverse felle kleuren waren geschilderd. Net als vele andere azen werd hij nog voor het einde van de oorlog tijdens een gevecht gedood.

De bomdreiging

Aan de Eerste Wereldoorlog die in 1918 afliep hadden tienduizenden vliegtuigen deelgenomen.

Een angstaanjagende ontwikkeling was dat vliegtuigen en luchtschepen steden gebombardeerd hadden. Dat daar relatief weinig doden bij waren gevallen, kwam omdat de vliegtuigen nog te zwak waren om veel bommen over lange afstand te vervoeren.

Toch zat de schrik er bij de burgers flink in. Mocht er ooit weer een oorlog komen, dan zouden vliegtuigen daar een nóg grotere rol in spelen en zouden steden wellicht op nog veel grotere schaal gebombardeerd worden.

VREEMDE WERELD

REGINALD MITCHELL, DE ONTWERPER VAN DE SPITFIRE, HAD EEN HEKEL AAN DE 'MALLE NAAM' VAN HET VLIEGTUIG DIE LETTERLIJK 'HEETHOOFD' BETEKENT.

TIJDENS DE SLAG OM ENGELAND IN DE ZOMER VAN 1940 WAS DE SPITFIRE HET ENIGE BRITSE GEVECHTSVLIEGTUIG DAT DE PRESTATIES VAN DE BESTE DUITSE VLIEGTUIGEN KON EVENAREN.

Gevaar uit de lucht

In de jaren '30 werd nazi-Duitslands Luftwaffe de meest gevreesde luchtmacht ter wereld. Luftwaffe is Duits voor 'luchtwapen' en diens dodelijke kracht werd duidelijk toen piloten en vliegtuigen naar Spanje werden gestuurd om mee te doen aan de burgeroorlog die daar toen woedde.

In 1937 vielen duikbommenwerpers van de Lufwaffe het stadje Guernica in Spaans Baskenland aan. Vele mensen kwamen om en de halve stad werd verwoest.

Luchtslag

Toen in 1939 de Tweede Wereldoorlog uitbrak en Engeland en Frankrijk met nazi-Duitsland in gevecht raakten, werden miljoenen Britse kinderen uit angst voor bombardementen naar het platteland geëvacueerd.

In de zomer van 1940 vond de Slag om Engeland plaats, de eerste strijd die louter in de lucht werd gevoerd. De Luftwaffe trachtte de Britse luchtmacht (RAF) te vernietigen door haar vliegvelden

IN DE LUCHTDUELS TIJDENS DE SLAG OM ENGELAND WAS DE MESSERSCHMITT BF 109 DE AARTSVIJAND VAN DE SPITFIRE.

te bombarderen. Gevechtsvliegtuigen begeleidden de trage bommenwerpers ter bescherming tegen de RAF-gevechtsvliegers.

Gelukkig kon de RAF met een nieuwe vinding, radar, inkomende vliegtuigen waarnemen, zodat men tijdig van de luchtaanvallen op de hoogte was en gevechtspiloten kon laten opstijgen om de indringers tegemoet te gaan.

Boven Zuid-Engeland namen de Spitfires en Hurricanes van de RAF het op tegen de Messerschmitt-gevechtsvliegtuigen en de Duitse bommenwerpers. De RAF was vaak in de minderheid, maar vocht door tot de Luftwaffe moest erkennen dat ze geen controle over het luchtruim kon krijgen. Premier Winston

DE BEMANNING VAN EEN LUFTWAFFE BOMMENWERPER BEREIDT ZICH IN DE KRAPPE COCKPIT VOOR OP EEN NACHTELIJKE AANVAL MET BOMMEN BOVEN ENGELAND.

Churchill roemde de piloten: 'Nooit eerder hebben zo velen zo veel aan zo weinigen te danken.'

S teden onder vuur

Daarop gingen de Duitsers over op nachtelijke aanvallen op Britse steden. Dit werd de 'Blitzkrieg' genoemd. Als een bommenwerper overkwam, klonk er een sirene en zocht men dekking in de schuilkelders. Uit angst sliepen veel Londenaren op de perrons van de ondergrondse.

De Duitse bliksemaanvallen richtten veel schade aan en doodden vele duizenden mensen, al kregen Duitse steden het uiteindelijk nog zwaarder te verduren.

D e geallieerden slaan terug

Net als de Luftwaffe bombardeerde ook de RAF 's nachts. Omdat ze in het donker verdwaalden, raakten de bommenwerpers eerst vaak niet de goede stad, laat staan de juiste wijk. Tot de vliegtuigen radar en radio kregen, zodat ze ook 's nachts konden vliegen.

Ook de Duitsers maakten gebruik van radar op hun

DE AMERIKAANSE B-17 BOMMENWERPER. DIT 'VLIEGENDE FORT' HAD TER VERDEDIGING 13 MACHINEGEWEREN AAN BOORD.

luchtdoelkanonnen en nachtelijke gevechtsvliegtuigen om aanvallers op te sporen. Met als gevolg gevechten tussen vijanden die elkaar alleen als een 'bliep' op een scherm zagen.

De nachtelijke RAF-aanvallen namen toe, met vaak wel duizend 4-motorige bommenwerpers per actie die miljoenen kilo's explosieven boven hun doel uitwierpen.

D e VS betreden het strijdperk

Toen de Verenigde Staten in 1941 aan de oorlog gingen deel-

IN DE TWEEDE WERELDOORLOG WERDEN OP GROTE SCHAAL VLIEGTUIGEN GEPRODUCEERD, WAARONDER RUIM 12.000 VAN DEZE B-17'S.

nemen, bombardeerden zij Duitsland bij daglicht. De Boeing B-17 Flying Fortresses en B-24 Liberators zaten boordevol wapens ter bescherming tegen de Luftwaffe.

De Amerikaanse vliegtuigen opereerden vooral vanaf luchtmachtbases in Oost-Engeland en hadden tot 10 bemanningsleden aan boord. De B-17 had een geschutskoepel onder de buik met daarin een boordschutter. De bommenwerpers vlogen op grote hoogte en de bemanning droeg zuurstofmaskers en verwarmde pakken. Ze vielen in zwermen van honderden aan en waren veel

DE ANGSTAANJAGENDE KAKEN OP DIT CURTISS GEVECHTSVLIEGTUIG VERWEZEN NAAR DE 'VLIEGENDE TIJGERS', EEN GROEP VS-PILOTEN DIE IN BIRMA EN CHINA DE JAPANNERS BESTREED.

doeltreffender dan de RAF. De Duitse luchtafweer haalde er duizenden neer, maar Duitsland werd enorme schade en leed toegebracht.

Vliegdekschepen

Ondertussen was ook de oorlog op zee een luchtoorlog geworden. Oorlogsvloten waren van oudsher trots op hun slagschepen en het idee dat een vliegtuig een van deze grote gepantserde schepen met hun krachtige bewapening tot zinken kon brengen, kwam lange tijd bij niemand op.

Dat werd anders toen de Amerikaanse Billy Mitchell in

47

1921 een in beslag genomen Duits slagschip, de 'onzinkbaar' geachte *Ostfriesland*, door zijn Martin tweedekker bommenwerpers in 21 minuten tot zinken liet brengen. De zeemachten besloten nu vliegdekschepen aan hun vloot toe te voegen, al zagen ze slagschepen nog steeds als beslissende factor om een oorlog op zee te winnen.

P earl Harbor

Dat werd anders op 7 december 1941. Die dag voerden de Japanners een verrassingsaanval uit op Pearl Harbor, de marinebasis van de VS op Hawaii. Vanaf vliegdekschepen opgestegen Japanse bommenwerpers en torpedovliegtuigen brachten in een paar uur de Amerikaanse vloot goeddeels tot zinken, inclusief 5 slagschepen. 2400 bemanningsleden vonden de dood.

Japanse vliegdekschepen, terwijl Amerikaanse gevechtsvliegers de Japanse vliegtuigen neerhaalden.

K amikaze!

Het laatste oorlogsjaar pasten de Japanners wanhopig een nieuwe tactiek toe: zelfmoordaanvallen. Kamikazepiloten vlogen in hun Aichi 'Val' of Mitsubishi 'Zero' recht op

de Amerikaanse oorlogsschepen af, liefst op plekken waar hun ontploffende bommen en brandstof de meeste schade zouden aanrichten, zoals de vliegtuigloodsen op vliegdekschepen. Ook leerden ze woorden uit het hoofd die ze op het aller-

EEN B-1 BOMMENWERPER KOST ROND DE 200 MILJOEN DOLLAR

De oorlog in de Pacific werd er een tussen vliegdekschepen. Van deze schepen gelanceerde Amerikaanse torpedovliegtuigen en duikbommenwerpers vernietigden uiteindelijk de

laatste moment uitschreeuwden om moed te verzamelen. Deze tactiek kostte veel piloten en vliegtuigen en bracht een aantal schepen tot zinken, maar kon de Japanse nederlaag niet afwenden.

Overal vliegtuigen

Tegen het einde van de Tweede Wereldoorlog waren er honderdduizenden vliegtuigen gebouwd die op alle fronten dienstdeden. Ze vlogen over woestijnen, jungles en bergen. Duizenden manschappen werden uit transportvliegtuigen als de Duitse Junker

Ju-52 met een parachute achter de vijandelijke linies of bij belangrijke doelen gedropt. Jachtbommenwerpers als de Republic P-47 Thunderbolt of Hawker Typhoon vernietigden tanks en vrachtwagens

Huidige gevechtsvliegtuigen

De militaire vliegtuigen zijn na de oorlog sneller geworden, met wapens die krachtiger en nauwkeuriger zijn en een groter bereik hebben. Maar ook al is hun aandeel in de oorlogsvoering gegroeid, ze zullen nooit meer zo'n beslissende rol in zo'n belangrijke overwinning spelen.

49

SNELLER DAN HET GELUID

Toen eind jaren '40 van de 20ste eeuw het 'straaltijdperk' aanbrak, was overal in de lucht het geraas van experimentele vliegtuigen hoorbaar. Ze werden aangedreven door straalmotoren of raketten en hun doel was sneller te vliegen dan het geluid. Maar testpiloten wisten al dat een vliegtuig zich vreemd gedraagt als het de geluidssnelheid nadert en even leek het erop dat het doel om 'supersonisch te gaan' altijd een droom en letterlijke geluidsbarrière zou blijven.

Tragische test

In september 1946 ging testpiloot Geoffrey de Havilland boven Engeland de lucht in met een experimenteel straalvliegtuig, de D.H. 108. Hij wilde er sneller mee vliegen dan elk ander vliegtuig tot dan toe – en wel sneller dan het geluid. Hij bracht het toestel in een duikvlucht om meer snelheid te maken. Tot hij de snelheid van het geluid naderde en het vliegtuig hevig begon te trillen, als bij een auto die snel over een hobbe-

lige weg rijdt. Erger nog, opeens hield het bedieningspaneel ermee op. Hoe hard de Havilland ook aan de stuurknuppel trok, niets hielp. Het onbeheersbare toestel versnelde en brak in de lucht in stukken uiteen.

Schokkende snelheid

De Havilland kwam om, maar we weten nu wat hij die dag heeft doorgemaakt omdat andere piloten die iets dergelijks overkwam

het wel hebben overleefd. De snelheid van het geluid wisselt, maar wordt altijd aangeduid met mach 1. Als een vliegtuig versnelt naar mach 1, komt het in de schokgolven terecht die het zelf maakt als het door de lucht beweegt.

Voor vliegers van de generatie van de Havilland leek het onmogelijk om deze 'geluidsbarrière' te doorbreken.

P ropellers en hun grenzen

In de jaren '40 van de 20ste eeuw werd dit een belangrijke kwestie omdat er nieuwe straal- en raketmotoren waren uitgevonden zodat vliegtuigen heel wat sneller zouden kunnen. Tot dan toe werden alle vliegtuigen door zuigermotoren (in wezen een groot soort automotor) aangedreven.

Zeer snelle vliegtuigen met een zuigermotor, zoals het Mustang gevechtsvliegtuig uit de Tweede Wereldoorlog, haalden in horizontale vlucht maximaal 720 km/u. Sneller kon niet met een zuigermotor plus propeller.

S traaljagers en raketten

Straalmotoren en raketmotoren werken volkomen anders. Als je wel eens een feestballon in de kamer hebt

DE D.H. 108 WAARIN TESTPILOOT GEOFFREY DE HAVILLAND OMKWAM TOEN HIJ IN 1946 PROBEERDE SUPERSONISCH TE VLIEGEN.

laten rondzoeven, ken je het basisprincipe: lucht die snel uit een gat aan de achterkant stroomt, duwt de ballon vooruit. Als men vliegtuigen op eenzelfde manier kon aandrijven, was er praktisch geen grens aan de topsnelheid, mits men de geluidsbarrière zou weten te doorbreken.

H oe motoren werken

Net zoals bij vuurwerk dat je ontsteekt, wordt in een raketmotor een stroom hete lucht gemaakt door chemicaliën te verbranden. Zolang de brandstof blijft branden, zoeft de raket door de lucht. Ruimteraketten nemen hun eigen voorraad vloeibare zuurstof mee, zodat ze door het luchtledige kunnen reizen.

Viegtuigen daarentegen hebben meer aan een straalmotor. Simpel gezegd zuigt deze lucht op aan de voorkant, verhit die, perst het samen en duwt het

VREEMDE WERELD

DE HARDSTE GEREGISTREERDE SUPERSONE KNAL KWAM VAN EEN LAAGVLIEGEND F-4 PHANTOM STRAALVLIEGTUIG EN WAS 70 KEER STERKER DAN DIE VAN EEN CONCORDE OP KRUISHOOGTE.

51

dan via een opening aan de achterzijde naar buiten. Belangrijk aan straalmotoren is dat ze beter werken naarmate men sneller en hoger vliegt.

D uitse straalvliegtuigen

De eerste straalvliegtuigmotoren werden in de jaren '30 ontworpen door Frank Whittle in Engeland en Hans von Ohain in Duitsland.

De nazi's gingen snel door met straal- en raketmotoren. Later, in de Tweede Wereldoorlog (1939-

hun eigen piloten als hun vijanden. Maar het waren wel de snelste machines in de lucht.

P roefkonijnen

Na de oorlog werd de oplossing van de geluidsbarrièrekwestie een belangrijke prioriteit. Momenteel zou men waarschijnlijk met computers kunnen uitzoeken wat er aan de hand was, maar toen kon men het alleen maar bestuderen door een testpiloot de lucht in te sturen en te zien wat er gebeurde.

DE X-1 VLOOG MAAR TWEEËNHALVE MINUUT OP VOLLE KRACHT

1945), vlogen er Messerschmitt Me163 raketvliegtuigen en Me262 straaljagers ter verdediging van Duitsland tegen de geallieerde bommenwerpers. Het waren nog experimentele vliegtuigen en het was riskant om ermee te vliegen, want ze doodden bijna even vaak

De Amerikanen bouwden voor dit doel een experimenteel raketvliegtuig, de Bell X-1, en vonden testpiloot Chuck Yeager bereid om zijn leven op het spel te zetten door alles uit de kast te halen. Yeager noemde zijn Bell X-1 *Glamorous Glennis*, naar zijn vrouw.

DE MESSERSCHMITT ME262 WAS DE EERSTE
STRAALJAGER. HIJ HAALDE IN DE JAREN '40
EEN TOPSNELHEID VAN 870 KM/U,
VEEL SNELLER DAN ELK TOENMALIG
VLIEGTUIG MET ZUIGERMOTOR.

KLIK OP...
Lees meer over Chuck Yeager
op www.chuckyeager.com

Voor testvluchten werd het raket-vliegtuig onder een Boeing B-29 bommenwerper naar grote hoogte gebracht, dat spaarde brandstof voor het opstijgen uit.

Yeager klom in de kleine cockpit en de X-1 werd als een bom uit de B-29 geworpen. Een paar seconden later ontstak hij zijn raketmotor en binnen luttele seconden lag hij op topsnelheid. 'God, wat een vlucht!' zou hij later schrijven. Toen de test voorbij was, zette hij zijn

Naarmate de X-1 dichter bij mach 1 kwam, kreeg Yeager te maken met de gebruikelijke, verontrustende ervaring van extreme turbulentie en controleverlies. Via een correctie op de werking van de stuurvlakken werd dit controleprobleem overwonnen en de turbulentie was nu minder hevig als Yeager de ultieme grens van de geluidssnelheid naderde.

HET BELL X-1 RAKETVLIEGTUIG WORDT
UIT DE BUIK GEWORPEN VAN HET
B-29 'MOEDERSCHIP', DAT HET
NAAR GROTE HOOGTE BRACHT.

motor uit en zweefde terug naar de grond.

Yeager voerde een aantal van deze vluchten uit, waarbij hij de snelheid geleidelijk opvoerde, terwijl wetenschappers op de grond hem nauwkeurig volgden.

Op 14 oktober 1947, bij zijn negende vlucht met de X-1, had Yeager pijn omdat hij in het weekend bij een val van een paard twee ribben had gebroken. Maar hij wilde de lucht in en verzweeg zijn kwetsuur. En hoewel hij van

53

de bezorgde vluchtleiding nog altijd niet 'supersonisch' mocht gaan, besloot hij het toch te doen. De mensen op de grond hoorden een oorverdovende knal. Het was een geluid dat nog nooit iemand op aarde had gehoord: de supersone knal van een vliegtuig dat sneller ging dan het geluid.

mens die boven de 3220 km/u (2000 mijl/u) vloog, al kon hij dit succes niet vieren. Hij kwam om toen hij de controle over de X-2 verloor en tijdens de mach-3 recordvlucht neerstortte.

Deze experimenten met raketvliegtuigen bereikten in 1967 hun hoogtepunt toen de X-15A-2 mach 6,72 haalde, twee keer de snelheid van een geweerkogel!

Later schreef Yeager dat het, na het passeren van mach 1, 'zo glad ging als babybilletjes. Oma had daarboven limonade kunnen drinken.'

NET ALS RUIMTE-SCHEPEN IN DE RUIMTE, ONTSTAK DE X-15, HET SNELSTE GEVLEUGELDE VLIEGTUIG OOIT, KLEINE STRAALMOTOREN OM OP GROTE HOOGTE BOCHTEN TE MAKEN.

DE X-15 KON TOT 108 KM BOVEN DE AARDE VLIEGEN

De geluidsbarrière was doorbroken en de weg naar hogere snelheden lag open.

N og sneller

Raketvliegtuigen die vanuit bommenwerpers werden gelanceerd vestigden telkens nieuwe snelheidsrecords. In 1953 passeerde de Douglas Skyrocket mach 2 (twee keer de snelheid van het geluid). In 1956 overschreed de Bell X-2 mach 3. Milburn Apt, piloot van de X-2, was de eerste

S nelle gevechtsvliegtuigen

Straalvliegtuigen die van de grond opstegen konden de snelheid van de X-15 niet evenaren. Die werd alleen verbeterd door de Space Shuttle in 1981. Straaljagers gingen echter algauw supersonisch. De F-104 Starfighter haalde in horizontale vlucht mach 2 en was in duikvlucht nog sneller, vandaar zijn bijnaam 'bemand projectiel'!

Dit waren riskante snelheden. Veel testpiloten en gewone gevechtsvliegers kwamen op jonge leeftijd om. Bij vliegtuigen die zo snel gingen had een parachute geen zin, dus werd de schietstoel geïntroduceerd. Maar ook aan je stoel vastgesjord uit je cockpit geschoten worden is uiterst gevaarlijk, al is het altijd nog beter dan te eindigen tussen de verwrongen wrakstukken van je vliegtuig.

De topsnelheid van de straaljagers ligt momenteel amper hoger dan 40 jaar geleden. In de praktijk is mach 2 snel genoeg. Wel zijn de straalvliegtuigen op andere punten verbeterd, van elektronisch bedieningssysteem tot betrouwbaarder motoren. Hierdoor is het supersonische vliegen een stuk minder gevaarlijk geworden.

Want de huidige piloten van gevechtsvliegtuigen mogen dan uitgerust zijn als astronauten, de enige bescherming van Yeager op zijn vluchten was een rugbyhelm! De testpiloten van de jaren '40 en '50 van de 20ste eeuw waren nog echte helden.

EEN MODERNE GEVECHTSPILOOTZIT IN EEN SCHIETSTOEL. IN GEVAL VAN NOOD KAN DE STOEL DE PILOOT MET ZO'N 160 KM/U UIT DE COCKPIT SCHIETEN.

VEILIG GELAND!

L anden en opstijgen zijn van oudsher de lastigste fases van het vliegen. Een vol vliegtuig op een drukke lucht- haven neerzetten is al een hele klus, maar wat als de landings- baan het dek van een schip is of een open plek in bosrijk oorlogsgebied? Via een ver- beterd vliegtuigontwerp en elektronisch instrumentarium zijn het opstijgen en landen een stuk makkelijker en soms zelfs vrij spectaculair geworden.

R iemen vast Vliegen is veiliger dan autorijden, maar als je vlak voor het opstijgen je veiligheidsriem omdoet, is het moeilijk om niet een tikkeltje nerveus te worden.

IN 1954 TRACHTTE MEN DIT 'VLIEGEND LEDIKANT' VAN ROLLS-ROYCE VERTICAAL OP TE LATEN STIJGEN.

EEN VOLLE JUMBOJET HEEFT RUIM 3 KILOMETER STARTBAAN NODIG

Het gaat tenslotte om één van de twee gevaarlijkste momenten bij het vliegen. Gelukkig weten luchtvaartmaatschappijen hoe men op de veiligste manier de lucht in kan komen.

Wanneer je bij het begin van de startbaan staat, heeft de be- manning al berekend welke snel- heid nodig is om van de grond te komen. Dit hangt af van het ge- wicht van het toestel en diens passagiers. Hoe meer gewicht, des te meer snelheid er nodig is. Het hangt ook af van de weers- omstandigheden bij de luchtha- ven, zoals de buitentemperatuur en de windkracht en -richting.

MET BEHULP VAN DE RAKETTEN ONDER
ZIJN STAART SCHIET EEN BOEING B-47
STRATOJET BOMMENWERPER UIT DE JAREN
'50 VAN DE 20STE EEUW SPECTACULAIR DE
LUCHT IN. EENMAAL IN DE LUCHT VLOOG
HET VLIEGTUIG UITSLUITEND OP
STRAALAANDRIJVING.

Brandstof is een andere belangrijke factor. Een vliegtuig is het zwaarst bij het opstijgen, het zit dan helemaal vol brandstof. Als de vlucht langer is, is er meer brandstof nodig en is het opstijgen dus moeilijker. Anderzijds: hoe langer de startbaan, hoe groter de kans op voldoende snelheid om de lucht in te komen.

Na de toestemming om op te stijgen, zet de piloot de motoren op volle kracht en rijdt steeds sneller over de startbaan. Zodra het vliegtuig voldoende snelheid heeft, trekt hij aan het besturingstoestel. De neus van het toestel gaat omhoog – en daar gaan we!

Steuntje in de rug

De gebroeders Wright waren de eersten die moeite hadden om genoeg vermogen te ontwikkelen om op te stijgen. Een jaar na hun beroemde eerste vluchten bij Kitty Hawk probeerden ze thuis in Dayton, Ohio, opnieuw te vliegen. Ze kwamen niet van de grond! Dit kwam omdat het warmer was, ze in een hoger gelegen gebied waren en er geen sterke tegenwind stond.

Dus bedachten ze een katapult om hun *Flyer* voldoende snelheid mee te geven. Dit wordt nu een 'ondersteunde take-off' genoemd.

R aketten en meerijders

Sinds de *Flyer* van de gebroeders Wright hebben veel vliegtuigen hulp nodig gehad om de lucht in te komen. Zo zaten er onder sommige van de eerste straalvliegtuigen raketten om ze de lucht in te schieten. Andere werden net als de Bell X-1 vanaf een 'moederschip' vanuit de lucht gelanceerd, zodat ze niet op eigen kracht hoefden op te stijgen. In de jaren '30 probeerde men een bizar 'meerijdersvliegtuig' uit, de Short Mayo-combinatie. Dit watervliegtuig werd door een vliegboot de lucht in vervoerd, waarna het hoog in de lucht vanaf de rug van diezelfde vliegboot 'opsteeg'.

R echt omhoog

Om het zonder startbaan te kunnen stellen, werden er vliegtuigen uitgevonden die verticaal konden landen en opstijgen. De eerste

VREEMDE WERELD
DE US NIMITZ VLIEGDEK-
SCHEPEN, DE GROOTSTE
OORLOGSSCHEPEN OOIT,
BIEDEN PLAATS AAN RUIM
80 VLIEGTUIGEN, WAAR-
VAN ZE ER OM DE 20 SEC.
EEN KUNNEN LANCEREN.

van deze zogenoemde VTOL (Vertical Take Off and Landing)-vliegtuigen waren 'staartzitters' als de Convair Pogo. Dit gedrongen, propelleraangedreven vliegtuig steeg op en landde met de neus recht omhoog en ging pas in de lucht horizontaal vliegen.

Helaas waren staartzitters heel moeilijk aan de grond te zetten. De piloot moest het vliegtuig rechtop keren terwijl hij op zijn rug lag, met de voeten boven zijn hoofd. Het sloeg nooit aan!

De Hawker Harrier, het 'verticaal startend straalvliegtuig', had meer succes. Dit vliegtuig, dat in de jaren '60 van de 20ste eeuw werd ontwikkeld, stijgt op en landt gewoon op zijn wielen, maar heeft ook zwenkbare straalpijpen. Deze wijzen

naar beneden om het vliegtuig verticaal de lucht in te stuwen en draaien vervolgens terug om normaal te vliegen. Door de pijpen schuin te zetten kan de Harrier in plaats van verticaal ook kort opstijgen vanaf een kleine startbaan of een vliegdekschip.

Alles op zee

Opstijgen vanaf een vliegdekschip geeft allerlei problemen. Hoe groot het schip ook is, de startbaan heeft nooit de normale, voor moderne vliegtuigen benodigde lengte. En het rollen en stampen van een vliegdekschip op zware zee werkt ook al niet mee! Wel kan het vliegdekschip

KLIK OP...
voor alles wat met vliegen
te maken heeft www.avianet.nl

ALS HIJ SUPERSONISCH VLIEGT WIJZEN DE VLEUGELS VAN DE F-14 K TOMCAT NAAR ACHTEREN. BIJ HET OPSTIJGEN EN LANDEN SPREIDEN ZE ZICH UIT, OM HET TOESTEL BIJ LAGERE SNELHEID STABILITEIT TE VERLENEN.

naar de wind draaien, zodat de vliegtuigen altijd tegenwind hebben voor de benodigde opwaartse druk. Toch past men nog steeds katapulten toe om de vliegtuigen via een 'snelstart' binnen vier seconden vanuit stilstand naar 225 km/u te brengen.

Aanhaken maar

Er is één ding erger dan opstijgen van een vliegdekschip: erop landen. Maar goed dat piloten deze manoeuvre eerst op een vluchtsimulator kunnen oefenen.

Om vliegtuigen tijdig te laten stoppen, gebruiken vliegdekschepen een remmechaniek. Uit de staart van het vliegtuig hangt een haak, deze grijpt in een kabel op het dek en twee seconden later staat het toestel volledig stil, al lijkt het voor de piloot alsof hij tegen een stenen muur op rijdt!

Langzaam en stabiel

Om te landen moet een vliegtuig traag genoeg kunnen aanvliegen. Vliegtuigen die ontworpen zijn om erg snel te vliegen, gedragen zich bij lage snelheden soms heel anders. Dus doen sommige vliegtuigen vlak voor de landing de

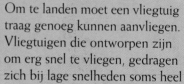

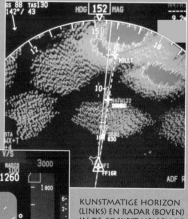

KUNSTMATIGE HORIZON (LINKS) EN RADAR (BOVEN) IN DE COCKPIT HELPEN DE PILOOT VEILIGER TE VLIEGEN, ZELFS ALS HIJ DE GROND NIET KAN ZIEN.

VOOR DE LANDING WORDEN DE VLEUGELKLEPPEN EN DE 16 HOOFD-WIELEN VAN EEN BOEING 747 NEERGELATEN.

vleugelkleppen naar beneden om de vorm van de vleugels te veranderen. De ideale vorm voor hogesnelheidsvliegen verandert dan in een vorm die bij lagere snelheden meer opwaartse druk geeft. Ook maken straalvliegtuigen soms gebruik van een remparachute, die zich vanuit de staart ontvouwt om het toestel op de landingsbaan af te remmen.

Blind vliegen

Grootste gevaar bij de landing is slecht zicht door mist of zware bewolking. Al in 1929 bewees Jimmy Doolittle dat je 'blind' met een vliegtuig kunt landen. Er zat een kap over zijn cockpit zodat hij niet naar buiten kon kijken en in de cockpit had hij instrumenten zoals een hoogtemeter die aangaf hoe hoog hij zat en een kunstmatige horizon die aangaf of hij vlak en horizontaal vloog. Er was ook een radio om met de vluchtleiding te praten en een radionavigatieapparaat om hem naar het vliegveld te leiden. Hij steeg op, vloog rond en landde zonder dat hij ook maar één moment had gezien waar hij was.

Moderne hulpmiddelen

Naast de hulpmiddelen waar Doolittle destijds al mee vloog, heeft de vliegtuigbemanning van nu radar, boordcomputers en andere instrumenten aan boord die bijvoorbeeld aanmanen op te trekken als men te dicht bij de grond komt.

Toch wil een piloot nog steeds graag zien waar hij is als hij komt aanvliegen voor de landing, en voelen de meeste passagiers een lichte opluchting als de wielen veilig op de landingsbaan staan.

VREEMDE WERELD

MET HET NAZI-DUITSE KOMET RAKETVLIEGTUIG LANDEN WAS GEEN PRETJE. DE WIELEN VIELEN ER NA HET OPSTIJGEN AF EN HET TOESTEL LANDDE OP STEUNBLOKKEN, WAARBIJ MENIG PILOOT EEN GEBROKEN RUG OPLIEP.

WENTELWIEKEN

E en vliegtuig dat recht omhoog en omlaag kan vliegen, midden in de lucht stil kan blijven hangen of zelfs achteruit kan vliegen, is een helikopter. Niet gek dus dat zoveel mensen, van verkeers-politie tot reddingsbrigade en van soldaat tot dokter, hem heel nuttig vinden. Toch bleek het nog moeilijker om een heli-kopter te maken dan een vliegtuig van de grond te krijgen. Pas na jaren-lang experimenteren werd er eentje ontworpen die niet alleen maar rondtolde!

Snelheid is niet alles

In de jaren '20 van de 20ste eeuw werden jaarlijks nieuwe snelheids-records in de lucht gevestigd. Toch werd van één vliegtuig met trots geadverteerd dat het lang-zamer vloog dan een mens kon hardlopen. Deze autogiro was het geesteskind van de Spaanse uitvinder Juan de la Cierva.

Net als de meeste vliegtuigen van toen beschikte deze vreemde machine over een motor en een propeller aan de voorkant. Maar boven het hoofd van de piloot zaten net als op de huidige helikopters ronddraai-ende bladen. Sommige

autogiro's hadden kleine, gedrongen vleugels, al hadden ze die niet echt nodig. De rotor leverde genoeg opwaartse druk om het toestel de lucht in te krijgen en te houden.

Eeuwenoude techniek

Dat een ronddraaiende vleugel kan vliegen, was al lang bekend. In de Middeleeuwen speelden kinderen al met ronddraaiende, vliegende speelgoedjes, wellicht ontleend aan de gevleugelde zaden van de plataan.

Vandaar ook dat uitvinders ten tijde van de gebroeders Wright twee manieren kenden om lucht over en onder een vleugel te laten stromen om zo opwaartse druk te creëren. Ze bevestigden de vleugel aan het vliegtuig, waarna de hele machine voorwaarts door de lucht bewoog: een vliegtuig. Of ze lieten

DE *HUGHES OH-6 CAYUSE* WAS BEDOELD OM ALS KLEINE, SNELLE VERKENNER IN DE VIETNAM-OORLOG TE DIENEN.

de vleugel onafhankelijk van de beweging van het vliegtuig door de lucht bewegen door die rond te laten draaien: een helikopter.

Omhoog, maar meer niet

In 1907 lukte het de Fransman Paul Cornu om een paar seconden boven de grond te blijven hangen, een record dat als eerste vlucht met roterende vleugels in de boeken kwam. Maar al kwam zijn toestel heel even van de grond, niemand wist hoe je zo'n machine bemand kon laten rondvliegen.

EEN SIKORSKY S-64 SKYCRANE TILT EEN GEPREFABRICEERD HUIS OP. SIKORSKY VOND DAT DE SKY-CRANE BEST FORENSEN IN EEN BUNGELENDE 'CABI-NE' NAAR HUN WERK KON BRENGEN, MAAR DAT GING NIET DOOR.

Autogiro's waren de eerste succesvolle vliegtuigen met roterende vleugels, maar geen echte helikopters. Ze hadden geen motor die de rotorbladen aandreef: de bladen draaiden gewoon vrij rond en werden door de lucht aangeduwd terwijl de autogiro met zijn conventionele propeller vooruitvloog. Een autogiro kon heel traag vliegen, maar niet als een helikopter blijven hangen of achteruitvliegen.

Onbeheersbaar

Om een helikopter te bouwen die echt werkte moest men eerst twee problemen oplossen.

Allereerst kon men de vlucht van een helikopter nog steeds niet controleren. Tweede probleem: als de rotorbladen de ene kant op draaiden, draaide door hun wringkracht de romp van de helikopter in tegenovergestelde richting.

Nooit meer tollen

In de jaren '30 van de 20ste eeuw vonden helikoptermakers twee verschillende oplossingen voor het ronddraaiprobleem. De Duitser Heinrich Focke,

VREEMDE WERELD

HET EERSTE VLIEGTUIG DAT BINNEN VLOOG WAS DE FA-61 HELIKOPTER. DE PILOTE HANNA REITSCH GAF ER IN 1938 IN EEN GROTE HAL IN BERLIJN EEN DEMONSTRATIE MEE.

deed de in Rusland geboren Igor Sikorsky het anders. Hij maakte een kleine, recht-opstaande rotor aan de staart van zijn VS-300 vast, waardoor de helikopter én niet meer ronddraaide én beter bestuurbaar werd. Net als bij Sikorsky hebben de meeste helikopters nu een staartrotor, al hebben sommige grote toestellen twee grote rotoren à la Focke. Bij een derde, minder voorkomend type zitten kleine straalmoto-ren aan het eind van de rotor-bladen om het tolprobleem op te heffen (al moet je wel natuur-kundige zijn om dat te begrijpen).

B ladentechnologie

Pas na veel gezoek en geëxperi-menteer met de rotorbladen kre-gen de luchtvaartingenieurs de helikopter zodanig onder contro-le dat men hem alle kanten op kon laten vliegen.

Ze ontdekten hoe ze de hoek van de bladen moesten

aan wie men veelal de bouw van de eerste echte helikopter in 1937 toe-schrijft, plaatste twee grote roto-ren op zijn toestel die in tegen-gestelde richting ronddraaiden. De draaiing van de ene rotor, met de klok mee, hief die van de andere, tegen de wijzers van de klok in draaien-de rotor, op. In de VS

JUAN DE LA CIERVA'S AUTOGIRO WAS EEN VLIEGTUIG MET EEN ROTOR. HET EFFENDE DE WEG VOOR DE ECHTE HELIKOPTER. DE WARE LIEFHEBBER VLIEGT NOG STEEDS GRAAG MET EEN AUTOGIRO.

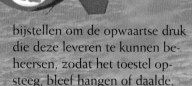

EEN HELIKOPTER DIE AAN DE KUST
VAN CALIFORNIÉ BEZIG IS MET WAT
HELIKOPTERS HET BESTE KUNNEN:
IEMAND IN NOOD REDDEN.

bijstellen om de opwaartse druk die deze leveren te kunnen beheersen, zodat het toestel opsteeg, bleef hangen of daalde.

Ook bleek er een apart bedieningspaneel nodig om de hoofdrotor in zijn geheel schuin te zetten om voldoende stuwkracht te ontwikkelen om vooruit, achteruit, naar links of naar rechts te gaan. Intussen werkt de staartrotor, net als bij een gewoon vliegtuig, als een soort roer om naar links of naar rechts te sturen. Dat klinkt allemaal erg ingewikkeld, en dat ís het ook! Een helikopter besturen valt niet mee.

Veelzijdig toestel

Helikopters zijn veel trager dan vliegtuigen. Toch zijn ze erg nuttig. Ze kunnen op iedere open plek ter grootte van een helikopter landen en opstijgen. Ze kunnen op gebouwen met een plat dak landen, of desnoods op het gazon ervoor. Een helikopter kan zelfs op een plek waar hij niet kan landen, in de lucht blijven han-

gen om iemand aan een kabel omhoog te hijsen. Veel zeelui die schipbreuk hebben geleden zijn zo al vanuit de lucht door helikopters gered. Ook hebben helikopters duizenden levens gered door slachtoffers van een ongeluk snel naar een ziekenhuis te vervoeren.

Zware last

Rond de jaren '60 waren helikopters sterk genoeg om 50 mensen te vervoeren. Er was veel vraag naar helikopters die zwaar hijswerk aankonden, zoals de Sikorsky Skycrane. Bijvoorbeeld om bij de bouw van wolkenkrabbers onderdelen te laten zakken die bouwvakkers vervolgens in elkaar zetten. Ruslands Mil V-12 werd de wereldkampioen gewichtheffen onder de helikopters door in 1967 bijna 40.000 kg te tillen, het gewicht van zes olifanten.

Medisch en militair gebruik

In tijd van oorlog werden helikopters aanvankelijk vooral ingezet om troepen te verplaatsen en gewonde soldaten die snel medische verzorging nodig hadden van het slagveld te halen.

Tot ze in de jaren '60 ook gingen aanvallen. Nieuwe modellen werden vol met geweren en raketten gestouwd om vijandelijke tanks of vrachtwagens op te blazen. Al waren ze vergeleken bij vliegtuigen nog steeds erg traag: 250 km/u was al heel wat.

De toekomst

Ontwerpers dromen van een veel snellere kruising tussen een helikopter en een vliegtuig.

Ze hebben al vliegtuigen met 'kantelende rotoren' gebouwd, die hun vleugels met hun propellers omhoog kunnen draaien zodat ze op de rotoren van een helikopter lijken. Eén experimentele helikopter kan zelfs in een straalvliegtuig veranderen door in de vlucht het draaiend rotorblad uit en vast te zetten, zodat het een vaste vleugel wordt.

Toch heeft tot nu toe geen van deze toestellen erg goed gewerkt. Misschien kunnen we ook maar beter accepteren dat helikopters nu eenmaal traag zijn.

DE AH-64 APACHE AANVALSHELIKOPTER KAN GELEIDE PROJECTIELEN EN RAKETTEN AFVUREN OP LUCHT- OF GRONDDOELEN.

KLIK OP...
Meer info over helikopters vind je op www.helis.com

DE RUIMTE IN

Amper 40 jaar nadat de eerste mens de ruimte in ging, betaalde de eerste ruimtetoerist geld voor een tochtje in een baan om de aarde. Aan de nachtelijke hemel schuift menige onbemande satelliet voorbij die het weer voorspelt of intercontinentale telefonie mogelijk maakt. Maar het meest tot de verbeelding spreken de bemande ruimtevaartuigen die de aarde achter zich laten om de ruimte te gaan verkennen.

Moedig op weg

Stel je voor: je bent de eerste mens die de ruimte in gaat. Je zit samengeperst in een kleine, ronde capsule die zich bovenop een enorme raket bevindt. De raketmotoren ontbranden met enorm geraas en je wordt de

De eerste mens in de ruimte

Dit ervoer Sovjetkosmonaut Joeri Gagarin, toen hij op 12 april 1961 de eerste ruimtevlucht maakte en in iets meer dan anderhalf uur om de aarde cirkelde. Hij had een prestatie geleverd die men lange tijd voor onmogelijk had gehou-

ER HEBBEN NOG MAAR TWAALF MENSEN OP DE MAAN GELOPEN

lucht in getild, waarna de enorme versnelling je aan je stoel kluistert alsof er iets heel zwaars op je drukt.

Na een paar minuten valt de startraket weg en ben je in een baan om de aarde. Gewichtloos en alleen in de ruimte ben je getuige van een schouwspel dat nog nooit iemand vóór jou heeft aanschouwd. De continenten en oceanen schuiven als een enorme atlas onder je voorbij.

den. Ruimtereizen leken iets voor sciencefiction, niet voor de wetenschappelijke realiteit.

De zwaartekracht overwonnen

In zeker opzicht vormden ruimtevluchten een makkelijker probleem voor uitvinders dan vliegen met een vliegtuig. In de

DE SOVJETRAKET *VOSTOK 1* STIJGT OP OM JOERI GAGARIN (INZET) OP DE EERSTE BEMANDE VLUCHT DE RUIMTE IN TE STUREN.

19de eeuw kwam de Franse schrijver van toekomstverhalen, Jules Verne, op het idee om iemand in een soort kogel met een enorm kanon de ruimte in te schieten. Dat was nog niet zo'n gek idee.

Wat je op aarde houdt, is de zwaartekracht die via de aarde aan je lichaam trekt. Als je met genoeg opwaartse kracht zou worden weggeschoten om die trekkracht van de zwaartekracht te overwinnen, zou je in de ruimte terechtkomen.

Onmogelijke snelheid

Begin 20ste eeuw toonden wetenschappers als de Amerikaan Robert Goddard aan hoe je in theorie genoeg energie kunt krijgen: niet via een kanon, maar via een met vloeibare brandstof gevul-

de raket. Maar hoe maak je die? De snelheid die een astronaut nodig heeft om van de aardse zwaartekracht los te komen is gigantisch: zo'n 40.000 km/u.

Rakettechnologie

Voor de uiteindelijke doorbraak in de raketontwikkeling werd een verschrikkelijke prijs betaald. Tijdens de Tweede Wereldoorlog gaven regeringen enorme sommen geld uit om raketten te ontwikkelen die als wapen konden dienen.

De eerste echt efficiënte raket was de V-2, die in Duitsland tijdens die oorlog werd ontwikkeld door Wernher von Braun. Na de oorlog bouwden de VS en de Sovjetunie (hun vijand in de Koude Oorlog) daarop voort met nog krachtiger raketten om verre steden aan te vallen. De geleerden wisten dat ze er ook objecten mee de ruimte in konden sturen.

IN DE FILM *LE VOYAGE DANS LA LUNE* UIT 1902 VAN GEORGES MÉLIÈS WORDEN MANNEN IN EEN ENORM OMHULSEL NAAR DE MAAN GESCHOTEN.

DE V-2 IS DE VOORLOPER VAN ALLE RUIMTE-
RAKETTEN EN WERD TIJDENS DE TWEEDE
WERELDOORLOG DOOR DE NAZI'S
ALS WAPEN GEBOUWD.

om als eerste een mens in de ruimte te brengen. Beide landen trainden gevechtspiloten tot astro-naut (het Amerikaanse woord) of kosmonaut (de Sovjetbenaming).

Spoetnik

In 1957 lanceerde de Sovjetunie de *Spoetnik 1*, de eerste satelliet, in een baan om de aarde. De *Spoetnik 1* was klein, on-geveer tweemaal zo groot als een voetbal, en hoefde alleen maar om de aarde te cirkelen en via zijn ra-diozenders een regelmatig gepiep uit te zenden. Maar hij markeerde het begin van het ruimtetijdperk.

Men ontwierp pakken en drukca-bines die de ruimtereiziger buiten de aardse atmosfeer moesten be-schermen, en hitteschilden om te voorkomen dat het ruimtevaartuig verbrandde als het met hoge snel-heid in de dampkring terugkeerde.

Vóór Gagarins vlucht wist nie-mand of het allemaal zou lukken, maar dat bleek wel degelijk het geval. Heel even was Gagarin de beroemdste mens op aarde.

INSECTEN, KIKKERS EN CHIMPANSEES: ALLEMAAL GINGEN ZE DE RUIMTE IN

Later in 1957 brachten de Sovjets het eerste levende wezen in de ruimte, de hond Laika. Helaas kwam Laika niet terug.

De wedloop begint

Na de *Spoetnik* begon de wedloop tussen de Sovjetunie en de VS

HET HONDJE LAIKA VLAK
VOORDAT HET ALS EERSTE AARD-
BEWONER DE RUIMTE IN GAAT.

Kennedy's grote doel

De Amerikanen waren ontzet dat de Sovjets hen hadden verslagen. De Verenigde Staten lagen niet ver achter en Alan Shepard werd in mei 1961 de eerste Amerikaan in de ruimte, nog geen maand na Gagarin. Maar tweede zijn lag niet in hun aard en de Amerikaanse president John F. Kennedy riep de natie op om voor het einde van het decennium een mens op de maan te zetten.

Om de

De Sovjets deden er alles aan om bij te blijven en wonnen in 1964 met het eerste ruimtevaartuig dat met drie bemanningsleden de ruimte in ging. Al moesten ze hen wel zonder ruimtepak omhoogsturen: de capsule bleek te krap!

maan te bereiken had je een krachtige raket nodig, en de astronauten zouden lange tijd in de ruimte moeten blijven. Tijdens het Gemini-programma, een reeks ruimtemissies in 1965 en 1966, leerden de

3 JUNI 1965: ED WHITE OP DE EERSTE DOOR EEN AMERIKAANSE ASTRONAUT GEMAAKTE RUIMTEWANDELING. MET HET 'PISTOOL' IN ZIJN RECHTERHAND KON HIJ VUREN OM IN DE RUIMTE TE MANOEUVREREN.

Amerikaanse astronauten hoe ze in de ruimte konden manoeuvreren, ruimtevaartuigen aan elkaar koppelen en 'ruimtewandelingen' maken.

Grote knaller

Eind 1967 hadden de
Amerikanen
hun maanraket.
Met zijn 3000
ton was de draag-
raket Saturnus V het
zwaarste object dat
ooit vloog. Het

was
ook de krachtigste
vliegmachine die ooit werd
gebouwd. Toen ze van
Cape Canaveral opsteeg,

beefde de grond eromheen als
bij een aardbeving. De Saturnus
V bestond uit drie delen, met elk
hun eigen raketten en

brandstofvoorraad. Was
een deel opgebruikt, dan viel
het weg in de ruimte en nam het
deel daarop het over. Bovenop
de raket bevonden zich het
moederschip annex diensten-
compartiment waarin de astronauten in een baan om de maan
zouden komen, plus de maanlander om naar het maanoppervlak af te dalen. Met kerst 1968
bevonden de drie astronauten
zich aan boord van de *Apollo* 8
in een baan om de maan en
verstuurden ze prachtige plaatjes
van de aarde.

OP LATERE MAANMISSIES REISDEN
ASTRONAUTEN IN DE LUNAR ROVER (HIER
GEPARKEERD NAAST DE MAANLANDER).

Kijkje op de maan

De maanlanding vond plaats op 20 juli 1969. De astronauten Neil Armstrong en Buzz Aldrin daalden in de maanlander af naar het maanoppervlak, terwijl Michael Collins in het moederschip in een baan om de maan bleef.

Een groot deel van de wereldbevolking volgde op tv hoe Armstrong en Aldrin een Amerikaanse vlag plantten en steenmonsters verzamelden, voor ze weer naar de aarde terugkeerden. De VS zetten nog 10 man op de maan, tot het programma in 1972 werd beëindigd.

Ruimteschip voor hergebruik

Maanlandingen waren moeilijk te evenaren. Tot de luchtvaartorganisatie van de VS, de NASA, met iets kwam dat minstens zo opmerkelijk was: de Space Shuttle.

Vanaf het begin van het ruimtevaarttijdperk had men gedroomd van een vliegtuig dat de ruimte in kon vliegen en ook weer terug kon keren. De Shuttle was geen echt 'ruimtevliegtuig', want het had hulpraketten nodig om in de ruimte te komen. Maar men kon wel hergebruiken, omdat het na een ruimtemissie terugzweefde naar een landingsbaan. Het moest satellieten lanceren en ruimtestations bezoeken.

Op 28 januari 1986 ondervond het programma dramatische tegenslag toen de shuttle *Challenger* na de lancering explodeerde en alle zeven bemanningsleden omkwamen.

Op 1 februari 2003 kreeg de NASA een nieuwe klap toen de *Columbia* bij terugkeer naar aarde verbrandde.

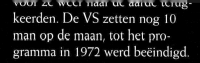

TWEE STARTRAKETTEN, BEVESTIGD AAN EEN ENORME BRUINE BRANDSTOFTANK, SCHIETEN DE SPACE SHUTTLE DE LUCHT IN.

L even in de ruimte

De Sovjets gingen zich nu richten op ruimtestations. In deze laboratoria konden wetenschappers de ruimte van zeer nabij bestuderen. Het laatste station, de *Mir*, werd in 1985 gelanceerd en bleef 16 jaar in een baan om de aarde.

Leven in de ruimte viel niet mee. Alles zweefde er zonder zwaartekracht rond, zelfs water. Bewoners van een ruimtestation moesten een douche nemen in een zak om de vloeistof binnen te houden. Ze sliepen zelfs in slaapzakken die aan de muur bevestigd waren. Het normale dagritme vervaagde omdat de zon 16 keer per 24 uur opkwam.

Toch was lang in de ruimte verblijven te doen. In 1994-1995 verbleef de kosmonaut Valery Polyakov 14 maanden achtereen in de *Mir* en in 1996 bracht de Amerikaanse biochemicus Shannon Lucid 188 dagen door in een baan om de aarde. Ruimteonderzoek was toen al een internationaal project geworden, met de VS als duidelijke trendsetter.

Sinds 1995 geven de Amerikanen leiding aan een team van 16 landen in een project dat nog ambitieuzer is dan de *Mir*, het *International Space Station*.

R uimtetoerisme

Veertig jaar na de eerste bemande ruimtevlucht zijn er nog steeds niet veel mensen voorbij de aardatmosfeer gereisd. Dat leek even te veranderen toen de Amerikaanse zakenman Dennis Tito in april 2001 als eerste ruimtetoerist 20 miljoen dollar neertelde voor een reis naar het ISS. Een ander bedrijf speelde met de gedachte van toeristenreizen naar Mars. Hoe dan ook, de geschiedenis van het ruimtereizen is nog maar net begonnen.

KLIK OP...
Meer over ruimtereizen op www.rekon.nl

ASTRONAUTEN AAN HET OEFENEN IN EEN GEWICHTLOZE OMGEVING IN EEN GROOT VRACHTVLIEGTUIG, DAT GEWICHTLOZE OMSTANDIGHEDEN CREËERT DOOR SNEL TE DALEN, NET ALS BIJ EEN RITJE IN EEN ACHTBAAN.

VLIEGENDE CURIOSA

Vliegtuigen op zonne-energie of die je als een fiets kunt aantrappen, vliegtuigen die drie keer de snelheid van het geluid halen of die net zo hard gaan als iemand die rent. In hun bonte verscheidenheid zijn het ware wonderen van de moderne tijd. En een eeuw na de gebroeders Wright worden de grenzen van het vliegen door uitvinders en avonturiers nog steeds verlegd.

Het kan niet op

Met behulp van de moderne techniek, genoeg vermogen en nieuwe materialen kan men een vliegmachine bijna alles laten doen.

Neem de Lockheed SR-71 Blackbird. Deze werd ontworpen als een spionagevliegtuig dat zo hoog en snel over vijandelijk gebied moest kunnen vliegen dat geen gevechtsvliegtuig of raket het zou kunnen neerschieten.

Gebouwd in de jaren '60 van de 20ste eeuw ziet de Blackbird er met zijn dreigend zwarte verf (om radar te omzeilen) en lemmetachtige vorm vreemd uit. Maar zijn prestaties zijn nog verbazingwekken-

DE SR-71 DEED TOT IN DE JAREN '90 DIENST ALS AMERIKAANS SPIONA-GEVLIEGTUIG. HIJ KON EEN GOLFBAL TOT OP 24 KM HOOGTE WAARNEMEN.

der, want hij kan met mach 3, dat is ruim 3200 km/u, op een hoogte van ruim 25 km vliegen.

H ete boel

De huid van een vliegtuig dat met hoge snelheid vliegt wordt erg heet vanwege de wrijving met de lucht. De Blackbird is voornamelijk gemaakt van een titaniumlegering, een speciaal, licht- en hittebestendig metaal. Toch is de metalen neus van het vliegtuig na de landing vaak door de hitte gekreukeld en moet ze door het grondpersoneel met een brander uitgedeukt worden, alsof je een overhemd strijkt!

Vreemd genoeg is een Blackbird die hard vliegt geen benzinevreter. Als hij voluit gaat, raast de lucht zo snel door zijn motoren dat het vliegtuig vooruit wordt gedreven en de motoren maar weinig brandstof gebruiken. Dit toestel kan bijna op lucht vliegen.

N iet van deze wereld

Een SR-71 Blackbird besturen is een onvergetelijke ervaring. Je gaat sneller dan de aarde rond-draait, dus als je op topsnelheid naar het westen vliegt, zie je de zon in het westen opkomen in plaats van ondergaan.

Als je naar het oosten vliegt, en de snelheid van de omwenteling van de aarde zich dus bij die van jezelf voegt, ga je opeens van de dag in de nacht over, alsof je in een zwart gordijn vliegt.

VANWEGE
ZIJN VERMOGEN
EN DE MOGELIJK-
HEID VAN MANOEUVRES
BIJ HOGE SNELHEID, IS DE
F-15 VAN ALLE MODERNE GEVECHTS-
VLIEGTUIGEN EEN VAN DE SUCCESVOLSTE.

Sinds de jaren '70 van de 20ste eeuw bleef de ervaring van het supersonisch vliegen niet langer voorbehouden aan geoefende vliegtuigbemanningen. Iedereen kon vanaf toen in de Concorde met twee keer de snelheid van het geluid vliegen. Je merkte alleen hoe snel je ging, als je aan de ramen voelde: die werden warm door de wrijving met de lucht. Maar de kosten voor het onderhoud van het vliegtuig waren zo hoog dat de Concorde in 2003 zijn laatste lijnvlucht maakte.

schiet na de start binnen een minuut als een raket naar de hoogte van de Mount Everest (8848 m).

Als de piloot de nabrander ontsteekt, zodat er brandstof in de hete motoruitlaat spuit om supersonisch te gaan, is de explosieve stoot enorm! En als hij rond de geluidssnelheid over de boomtoppen scheert, maakt het toestel bokkensprongen omdat de automatische piloot de hoogteverschillen op de grond volgt…

Wat een knaller!

Qua snelheidskick haalt niets het bij de beleving van een moderne straaljagerpiloot. Een toestel als de F-15

MET ZIJN HELM,
ZUURSTOFMASKER
EN GEKLEURD VIZIER LIJKT
DEZE MODERNE GEVECHTSPILOOT
NET EEN BUITENAARDS WEZEN.

E norme druk

Gevechtspiloten dragen een heel speciale uitrusting en dat is maar goed ook, want een vliegtuig kan beter met druk omgaan dan zij. Toen vliegtuigen nog van zeildoek en hout waren, liep je bij een te korte bocht of te snel vliegen het risico dat je vliegtuig uit elkaar viel. In een modern gevechtsvliegtuig kan de piloot het bewustzijn verliezen – of erger nog.

Een vliegtuig als de F-16 kan zó snel zulke korte bochten maken, dat een mens er binnen een paar tellen flauw van kan vallen. Piloten wapenen zich daartegen via 'G-pakken' die als een heel strakke onderbroek om het onderlichaam zitten. Door de druk wordt het bloed naar de borst en hersenen geperst en neemt de weerstand toe.

Ook dragen gevechtspiloten helmen, zuurstofmaskers en soms hogedrukpakken zoals astronauten die dragen. De tijd dat vliegeniers nog lekker genoten van de wind die door hun haren streek, is allang voorbij!

D e kracht van het denken

Zonder de toverkunsten van de computer zouden straaljagers niet te besturen zijn. Alles gaat zo snel en is zo gecompliceerd dat geen mens het meer aankan. Maar zelfs met behulp van de computer en met de elektronische 'druk op de knop'-besturing krijgen gevechtspiloten het steeds moeilijker. Een idee dat serieus wordt onderzocht is het direct koppelen van de vliegtuigbesturing aan de hersengolven van de piloot, zodat deze gewoon de opdrachten 'denkt' om het toestel te besturen.

R euzen van het luchtverkeer
Terwijl sommige vliegtuigen opmerkelijk snel zijn, vallen andere op door hun omvang. Als een volledig beladen Boeing 747-400 van een startbaan opstijgt, gaat er 400 ton aan vliegtuig, brandstof, passa-

giers, bemanning en bagage de lucht in. Dit dreigt nog in het niet te vallen bij de volgende generatie lijnvliegtuigen. De Airbus 380 zal in 2006 wereldwijd zijn intrede doen op de luchthavens en zal bij het opstijgen zo'n 600 ton wegen, met maximaal 550 passagiers in zijn enorme dubbeldeksinterieur. Hoe kunnen zulke enorme gewichten vervoerd worden, gedragen door de ijle lucht?

Het antwoord is simpel: motorisch vermogen. De gebroeders Wright dachten nog dat hun uitvinding nooit voor grote lijnvliegtuigen kon werken. Vliegtuigen zouden altijd fragiele, lichte 'vliegers' blijven.

DOOR ZIJN BIZARRE VORM EN KLEUR LIJKT EEN STEALTH GEVECHTSVLIEGTUIG OP DE VIJANDELIJKE RADAR ZO GROOT ALS EEN MUS.

KLIK OP... http://www.kijk.nl/ pagina.jsp?page=150

De toenmalige zuigermotoren waren net zo krachtig als die van een kleine auto of een motorfiets. De motoren van een jumbojet lijken qua grootte meer op die van een groot schip. Mits ze over motoren met voldoende vermogen beschikken, kunnen vliegtuigontwerpers op basis van dezelfde vliegprincipes die in 1903 voor de gebroeders Wright werkten, vliegtuigen van nagenoeg iedere grootte laten vliegen.

tuig' als bijnaam kreeg. De B-2 Stealth bommenwerper daarentegen heeft overal golvende rondingen en lijkt op een 'vliegende vleugel' zonder romp.

De bedoeling van deze vormen is de vijandelijke radar in de war te sturen. Als onzichtbare spoken kunnen de stealthvliegtuigen 's nachts ongemerkt door de

S pookvliegtuigen

Ook kan men nu vliegtuigen in iedere willekeurige vorm maken. Toen men in de jaren '80 aan ontwerpers vroeg om 'onopvallende' vliegtuigen te ontwerpen die op de radar onzichtbaar zouden zijn, kwamen ze met niet eerder vertoonde toestellen aanzetten. Het F-117 Stealth gevechtsvliegtuig zit vol merkwaardige hoeken en zag er zo dreigend uit dat het 'Vleermuisvlieg-

DE BELUGA AIRBUS IS EEN ENORM TRANSPORTVLIEGTUIG DAT VLIEGTUIGONDERDELEN VAN DE ENE FABRIEK NAAR DE ANDERE VERVOERT.

luchtverdediging glippen. Ze missen de ideale vorm om te vliegen, maar dat geeft niet. Vliegtuigontwerpers grappen wel eens dat de motoren en elektronische besturingssystemen tegenwoordig zo goed zijn dat ze desgewenst het Vrijheidsbeeld zouden kunnen laten vliegen.

VREEMDE WERELD

HET VERGULDE GLAS VAN DE COCKPIT VAN DE STEALTH HOUDT RADARGOLVEN TEGEN, ANDERS ONTDEKT DE VIJANDELIJKE RADAR DOOR HET HOOFD VAN DE PILOOT DE ACHTERKANT VAN ZIJN HELM!

Tot op de bodem

Hoe geavanceerd het vliegen ook
geworden is, piloten lijken altijd
nieuwe uitdagingen te vinden. Zo
waren de Amerikanen Dick Rutan
en Jeana Yeager in 1986 de eerste
mensen die non-stop de wereld
rondvlogen zonder onderweg bij
te tanken, iets wat een nieuw lijn-
of militair vliegtuig niet kon.

Het propelleraangedreven vliegtuig van Rutan en Yeager, de
Voyager, was van speciaal, super-
licht materiaal gemaakt en vloog
42.212 km op de brandstof die het
had meegenomen. De reis om de

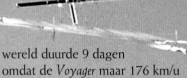

wereld duurde 9 dagen
omdat de *Voyager* maar 176 km/u
haalde; sneller zou te veel
brandstof hebben gekost. Het
moedige paar bracht die negen
etmalen in een cockpit van amper
60 cm breed door. Gelukkig
waren het goede vrienden!

Op pedaalkracht

Zelfs de droom van het door
mensenkracht aan-
gedreven vlie-
gen is uiteinde-
lijk uitgekomen.
Wetenschappers wis-
ten dat niemand ooit
zou kunnen vliegen door
met de armen te wapperen.
Maar hoe zat het met de benen?

In 1977 bouwde een team in
Californië de Gossamer *Condor*,
een vliegtuig dat nauwelijks iets
woog, met een

propeller die door een soort
fietspedalen werd aangedreven.
Wielrenner Bryan Allen vloog met
de *Condor* over een 2,4 km lange
baan in de vorm van een acht.

Deze eerste door een mens
aangedreven vlucht is sindsdien
door velen nagevolgd. In 1988,

MET LANGERE VLEUGELS DAN DE MEESTE
LIJNVLIEGTUIGEN VLOOG DE LICHTE
VOYAGER IN 1986 NON-STOP OM DE WERELD.

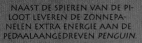

De cirkel is rond

Eenzelfde drang om records te breken en het avontuur te zoeken leidde tot een verrassende comeback van de ballonvaart, de vroegste vorm van menselijk vliegen.

In de jaren '90 van de 20ste eeuw ontwikkelde zich een heroïsche strijd om te zien wie als eerste in een ballon helemaal de aarde rond kon vliegen. Met behulp van de straalwind, de sterke winden die op grote hoogte rond de aarde blazen, haalden ballonvaarders snelheden van ruim 160 km/u.

Uiteindelijk slaagden Bertrand Piccard en Brian Jones er in maart 1999 in om met hun ballon, de *Breitling Orbiter 3*, net binnen 20 dagen de wereld rond te vliegen.

bijvoorbeeld, fietste de Griekse wielrenner Kanellos Kanellopolos 118 km over de Egeïsche Zee tussen Kreta en Santorini, de route die volgens sommigen de mythische Daedalus zou hebben gevolgd. Door pedalen aangedreven toestellen zijn niet erg nuttig, maar wat is erop tegen om te bewijzen dat het kan?

Met beide benen op de grond

Bij het begin van de 21ste eeuw kunnen veel van de interessantste nieuwe toestellen het zonder piloot stellen. De Helios bijvoorbeeld, een vliegende vleugel die in 2001 de lucht in ging.

83

DE *BREITLING ORBITER 3* BIJ DE START. DOOR DE ZILVEREN LAAG BLEEF HET GAS BINNEN-IN DE BALLON OP DEZELFDE TEMPERATUUR.

De Helios haalt maar 32 km/u, maar bijtanken hoeft niet, dus kan ze maandenlang doorvliegen en in theorie zelfs voor altijd in de lucht blijven, tot ze uit elkaar valt. Het toestel is volledig 'groen' omdat het geen fossiele brandstof verbruikt en geen vervuiling ver-oorzaakt. Bovendien kan ze op extreme hoogten vliegen en dicht bij de grens met de ruimte komen.

Met het hoofd in de wolken

Hoe nuttig onbemande vliegtui-gen ook zijn, de menselijke drang om te vliegen zal nooit verdwij-nen. Elk jaar gaan meer mensen de lucht in, van deltavliegers die van rotsen springen tot miljonairs die hun eigen privé-jet besturen.

Nu we eenmaal de smaak van het vliegen te pakken hebben, kan niemand ons meer overhalen de lucht aan de vogels over te laten.

De Helios is een van de vreemdst uitziende vliegtuigen ooit en wordt 'gevlogen' door een piloot op de grond. De enorme vleugel zit vol zonnepanelen die zonlicht gebruiken om de elektriciteit op te wekken voor de 14 motoren. Met de opgeslagen overtollige energie van overdag, kan ze 's nachts doorvliegen.

AANGEDREVEN DOOR DE ZON STIJGT DE VLIEGENDE VLEUGEL HELIOS OP, BESTUURD DOOR ZIJN 'PILOTEN' OP DE GROND.

NASLAG-
GEDEELTE

Of je dit boek nu al uit hebt, of dit gedeelte als eerste openslaat, op de volgende acht pagina's staat informatie die je ongetwijfeld zal interesseren. Hier vind je alle belangrijke feiten en figuren uit de geschiedenis van de luchtvaart, achtergrondinformatie, onbekende woorden en een nuttige lijst met websites. Dus of je nu op het net wilt surfen of op zoek bent naar nog meer weetjes, de volgende pagina's veranderen je van een enthousiaste leek in een deskundige.

HISTORISCH OVERZICHT

21 november 1783
Marquis d'Arlandes en Pilâtre de Rozier maken de eerste luchtreis in een Montgolfier luchtballon.

1809-1810
George Cayley publiceert *On Aerial Navigation* over de grondbeginselen van het zwaarder-dan-lucht-vliegen.

1852
Henri Giffard maakt een vlucht in een met stoom aangedreven luchtballon, het eerste gemotoriseerde luchtvaartuig.

1890
De *Éole*, het met stoom aangedreven vliegtuig van Clément Ader, verheft zich heel even van de grond.

1900
De gebroeders Wright beginnen met hun zweefvluchten bij Kitty Hawk in North Carolina (VS). Graaf Zeppelin bouwt zijn eerste luchtschip.

17 december 1903
De gebroeders Wright maken de eerste gemotoriseerde, langdurige, gecontroleerde zwaarder-dan-lucht-vlucht bij Kill Devil in de buurt van Kitty Hawk.

1904-1905
De Wrights gaan door met hun experimentele vluchten en blijven daarbij telkens ruim een halfuur in de lucht.

13 november 1907
Paul Cornu slaagt erin op te stijgen in een primitieve helikopter.

januari 1908
In Parijs vliegt Henri Farman in een Voisin tweedekker een baan van 1 km. De Fransen verwelkomen dit als de eerste, echte zwaarder-dan-lucht-vlucht.

augustus 1908
Wilbur Wright vliegt in Frankrijk. De gebroeders Wright krijgen de erkenning als eersten te hebben gevlogen.

25 juli 1909
Louis Blériot steekt als eerste in een vliegtuig het Kanaal over.

augustus 1909
In het Franse Reims vindt de eerste vliegshow ter wereld plaats.

1910
Zeppelin-luchtschepen beginnen met de eerste passagiersdiensten ter wereld.

23 september 1910
Georges Chavez vliegt de Alpen over, maar komt aan het eind van de vlucht om.

1911
Cal Rodgers vliegt dwars over de VS. Italië zet in Libië tegen Turkije voor het eerst vliegtuigen in een oorlog in.

1914
Igor Sikorsky vliegt 2600 km met zijn viermotorig vliegtuig, de *Ilya Muromets*.

1915
In de Eerste Wereldoorlog vinden de eerste luchtgevechten plaats tussen rivaliserende vliegtuigen; Zeppelin luchtschepen voeren de eerste luchtaanvallen uit op Londen.

21 april 1918
De Duitse aas Manfred 'Rode Baron' von Richthofen sneuvelt.

1919
In Europa worden de eerste regelmatige lijndiensten geopend.

14-15 juni 1919
John Alcock en Arthur Brown maken de eerste onafgebroken vlucht over de Atlantische Oceaan.

1921
De Amerikaanse luchtmachtcommandant Billy Mitchell brengt voor het eerst met een vliegtuig een slagschip tot zinken.

1926

De Amerikaan Robert Goddard maakt de eerste raket met vloeibare brandstof.

20-21 mei 1927

Charles Lindbergh vliegt solo van New York naar Parijs.

1929

Het luchtschip *Graf Zeppelin* vliegt in 21 dagen om de wereld.

24 september 1929

James Doolittle voert louter op zijn instrumenten de eerste 'blinde vlucht' uit.

1932

Amelia Earhart is de eerste vrouw die solo over de Atlantische Oceaan vliegt.

1936

De Douglas DC-3 wordt geïntroduceerd. De Focke-Achgelis FW 61, de eerste bruikbare helikopter, vliegt.

6 mei 1937

Het luchtschip de *Hindenburg* gaat bij Lakehurst in New Jersey in vlammen op.

27 augustus 1939

Vlucht van het eerste vliegtuig met straalaandrijving, de *Heinkel He 178*.

augustus-oktober 1940

Slag om Engeland, de eerste slag die alleen in de lucht plaatsvindt.

7 december 1941

Van een vliegdekschip opgestegen Japanse vliegtuigen bombarderen de Amerikaanse vloot bij Pearl Harbor.

1944

De eerste straalvliegtuigen vliegen in een oorlog. De Duitsers vuren V-2 raketten af op Londen en Antwerpen.

14 oktober 1947

Chuck Yeager doorbreekt de geluidsbarrière in het Bell X-1 raketvliegtuig.

1952

Het eerste straalverkeersvliegtuig, de De Havilland Comet, doet zijn intrede.

november 1953

Scott Crossfield vliegt sneller dan mach 2 in de Douglas *Skyrocket*.

1958

Het Boeing 707 straalverkeersvliegtuig doet zijn intrede.

12 april 1961

De Russische kosmonaut Joeri Gagarin wordt de eerste mens in de ruimte.

1965

Amerikaanse en Russische bemanningen wandelen als eerste in de ruimte.

1966

Het Harrier VSTOL vliegt met succes.

20 juli 1969

Neil Armstrong zet als eerste mens voet op de maan.

1970

De Boeing 747, de eerste jumbojet, doet zijn intrede.

1976

Het supersonische verkeersvliegtuig Concorde doet zijn intrede.

23 augustus 1977

Bryan Allen vliegt in de door mensenkracht aangedreven Gossamer *Condor*.

april 1981

De spaceshuttle doet zijn intrede.

december 1985

Dick Rutan en Jeana Yeager vliegen non-stop (zonder bij te tanken) in hun vliegtuig de *Voyager* de wereld rond.

28 januari 1986

De spaceshuttle *Challenger* ontploft kort na de lancering.

1999

Bertrand Piccard en Brian Jones vliegen zonder tussenlandingen de wereld rond in de luchtballon *Breitling Orbiter 3*.

2001

De op afstand bestuurde en door zonneenergie aangedreven 'vliegende vleugel' Helios vliegt.

april 2001

De Amerikaan Dennis Tito wordt de eerste betalende ruimtetoerist.

LUCHTVAARTHELDEN

Clément Ader (1841–1925)
Frans ingenieur die een door stoom aangedreven vliegtuig bouwde dat zich in 1890 kortstondig van de grond verhief. Een ambitieuzer toestel dat hij voor het Franse leger bouwde, bleek niet te vliegen.

Louis Blériot (1872–1936)
Frans zakenman die een eendekker bouwde waarmee hij in 1909 het Kanaal overstak. Later vond hij het vliegen zelf te gevaarlijk en ging hij vliegtuigen bouwen.

Sir George Cayley (1773–1857)
Voerde experimenten uit met modellen en met zweefvliegtuigen op ware grootte en schreef een wetenschappelijke verhandeling over de grondbeginselen van het zwaarder-dan-lucht-vliegen.

Bessie Coleman (1896–1926)
Leerde in Frankrijk vliegen omdat Amerikaanse vliegscholen geen zwarte Amerikaanse vrouw toelieten. 'Queen Bessie' werd later een bekend stuntvlieger. Helaas kon ze haar ambitie, een vliegschool voor zwarten, niet realiseren omdat ze tijdens een vliegshow om het leven kwam.

Glenn Curtiss (1878–1930)
Amerikaan die in 1909 in Frankrijk als voormalig wielrenner een luchtsnelheidsrecord van 75 km/u vestigde. Bouwde later watervliegtuigen en vliegboten.

James Doolittle (1896–1993)
Stuntvlieger en wedstrijdpiloot die in de jaren '20 van de 20ste eeuw onder andere de eerste 'blinde' vlucht uitvoerde. Won in 1932 de Thompson Trophy in een Gee Bee Racer en in 1942 voerde hij B-25

bommenwerpers aan die tijdens een beroemde luchtaanval op Japan vanaf vliegdekschepen werden gelanceerd.

Amelia Earhart (1898–1937)
Vloog in 1927 als eerste vrouw als passagier over de Atlantische Oceaan en herhaalde dat in 1932 als piloot. Ze verdween boven de Grote Oceaan tijdens een poging om de wereld rond te vliegen.

Henri Farman (1974–1958)
Geboren Parijzenaar die in 1908 en 1909 een aantal recordvluchten uitvoerde. Vloog als eerste mens in een vliegtuig van de ene stad naar de andere. Werd met zijn broer Maurice een van Frankrijks belangrijkste vliegtuigfabrikanten.

Anthony Fokker (1890–1939)
Nederlandse luchtvaartpionier. Vloog in zijn eerste vliegtuig, de *Spin*, een opzienbarend rondje rond de St.-Bavokerk in zijn geboortestad Haarlem. Bouwde tijdens de Eerste Wereldoorlog gevechtsvliegtuigen voor Duitsland en stapte na de oorlog over op lijnvliegtuigen, die o.a. door de eerste Holland-Indiëvlucht (1924) en de eerste vlucht over de noordpool (1926) bijdroegen aan de reputatie van de KLM.

Howard Hughes (1905–1996)
Excentriek miljonair die ook films maakte. Vestigde in de jaren '30 van de 20ste eeuw als piloot een aantal records. Bouwde het grootste vliegtuig ooit, de Hercules vliegboot *Spruce Goose*, die echter maar één keer, in 1947, zou vliegen.

Charles Kingsford Smith (1897–1935)
De beroemdste Australische vlieger, die in

1928 als eerste over de Grote Oceaan van
Amerika naar Australië vloog en in 1929
de Australian National Airways oprichtte.
Verdween voor de kust van Birma tijdens
een poging om van Engeland naar Australië
te vliegen.

Otto Lilienthal (1848–1896)

Duits ingenieur. Zijn experimenten met de
eerste zweefvliegtuigen en geschriften over
het vliegen van vogels hadden veel invloed
op de gebroeders Wright. Kwam om bij
een ongeluk met een zweefvliegtuig.

Charles Lindbergh (1902–1974)

Stuntvlieger en later luchtpostpiloot die
beroemd werd door de eerste solovlucht
van New York naar Parijs in 1927. Maakte
meerdere pioniersvluchten en promootte
de luchtvaart in zijn vaderland, de VS.

R. J. Mitchell (1895–1937)

Engels vliegtuigontwerper die voor de
firma Supermarine het gevechtsvliegtuig
de Spitfire ontwierp, evenals de watervliegtuigen die de Schneider Trophy wonnen.

Charles Nungesser (1892–1927)

Franse 'aas' die, hoewel hij diverse keren
gewond raakte, tijdens de Eerste Wereldoorlog 43 vliegtuigen neerschoot. Hij probeerde in 1927 samen met François Coli
van Parijs naar New York te vliegen. Ze
verdwenen spoorloos.

Baron Manfred von Richthofen (1892–1918)

Duits cavalerieofficier die bekendstond als
de 'Rode Baron'. Begon in 1915 met vliegen,
schoot tijdens de Eerste Wereldoorlog 80
vliegtuigen neer en voerde andere gevechtsvliegers aan in 'Richthofens vliegende circus'. Hij werd neergeschoten en overleed
in het laatste jaar van de oorlog.

Igor Sikorsky (1889–1972)

Begon al voor 1914 in Rusland met het
ontwerpen van vliegtuigen, waaronder de
veelmotorige *Ilya Muromets*. Nadat hij naar
de Verenigde Staten was verhuisd, bouwde hij vliegboten, alvorens hij in 1939 de
revolutionaire VS-300 helikopter ontwierp.

Sir Frank Whittle (1907–1996)

Ontwierp begin jaren '30 van de 20ste
eeuw als piloot van de Royal Air Force in
zijn vrije tijd een turbojettoestel. Hij kreeg
er geen officiële steun voor en Duitsland
werd het eerste land dat met straalvliegtuigen vloog. Het eerste Britse straalvliegtuig
met een Whittlemotor vloog in 1941.

Orville en Wilbur Wright (1871–1948 en 1867–1912)

De in Dayton (Ohio) geboren broers
maakten fietsen voordat ze in 1900 met
hun vliegtuigen begonnen te experimenteren. Rond 1905 hadden ze een vliegtuig
dat ook echt kon vliegen, wat ze in 1908
in het openbaar demonstreerden. Na 1910
was hun rol in de luchtvaart uitgespeeld.

Chuck Yeager (1923–)

Vloog in de Tweede Wereldoorlog met
Mustang gevechtsvliegtuigen bij het Air
Corps van het Amerikaanse leger tegen
Duitsland. Werd na de oorlog testpiloot,
passeerde in 1947 mach 1 en vestigde
daarna in de jaren '50 nog een aantal
snelheidsrecords.

Graaf Ferdinand von Zeppelin (1838–1917)

Deze Duitse aristocraat was al ruim 60 jaar
toen zijn eerste luchtschip, de LZ1, in juli
1900 vloog. Hij werd een nationale held
en maakte zelf nog mee dat zeppelins als
bommenwerpers in de Eerste Wereldoorlog werden gebruikt.

VERKLARENDE WOORDENLIJST

Assisted take-off/Opstijgen met hulp
Opstijgen met behulp van de drijfkracht
van bijvoorbeeld een raket of katapult.

Autogiro
Luchtvaartuig met zowel een propeller
als een helikopterachtige rotor.

Automatische piloot
Apparaat dat van de piloot een aantal
besturingssystemen overneemt.

Bestuurbare luchtballon
Andere omschrijving voor luchtschip.

Drukcabine
Binnenkant van vliegtuig waar, zelfs op
grote hoogte waar de luchtdruk laag is,
een aangename luchtdruk heerst.

Eendekker
Vliegtuig met één stel vleugels.

Geluidsbarrière
Een vliegtuig dat niet ontworpen is om
supersonisch te vliegen, haalt de snelheid van het geluid niet.

Getal van mach
Getal dat de vliegsnelheid weergeeft
vergeleken met de geluidssnelheid.
Mach 1 is de snelheid van het geluid.

Hoogte (*Engelse term: pitch*)
Beweging omhoog of omlaag van neus
van vliegtuig (zie: *rolbeweging* en *slingering*).

Hoogtemeter
Instrument in cockpit dat aangeeft hoe
hoog het toestel boven de grond is.

Intrekbaar landingsgestel
Wielen die na het opstijgen in de romp
of de vleugels worden opgetrokken en
voor de landing weer neergelaten.

Jumbojet
Groot lijnvliegtuig met een brede
romp, bijvoorbeeld de Boeing 747.

Kunstmatige horizon
Instrument in cockpit dat aangeeft of
het vliegtuig horizontaal vliegt.

Lift
Opwaartse druk die het vliegtuig helpt
vliegen, opgewekt door lucht die sneller over dan onder de vleugel stroomt.

Luchtschip
Aangedreven lichter-dan-lucht-vaartuig.

Luchtweerstand
Kracht die een voorwerp tegenhoudt
als het zich voorwaarts door de lucht
beweegt.

Nabrander
Apparaat dat brandstof in achterste straal-
pijp van straalmotor spuit, waar het ont-
brandt om extra stuwkracht te creëren.

Overtrekken
Een vliegtuig raakt in een overtrokken
vlucht als er (bij zeer lage snelheid) te
weinig lucht over de vleugels stroomt,
waardoor het vliegtuig valt.

Radar
Apparaat dat verafgelegen voorwerpen
kan waarnemen door er radiogolven
tegen te laten terugkaatsen.

Rolbeweging
Op- en neer gaande beweging van een
vliegtuig waarbij de ene vleugelpunt
omhoog gaat en de andere omlaag (zie
ook *hoogte* en *slingering*).

Slingering
Beweging van de neus van het
vliegtuig naar rechts of naar links (zie
ook *hoogte* en *rolbeweging*).

Stealth
Militaire technologie om zichtbaarheid
van vliegtuig op radar te verminderen.

Straalmotor
Motor die een voorwaartse beweging
veroorzaakt door heet gas via een pijp
aan de achterkant naar buiten te duwen.

Stratosfeer
Een hoge laag van de aardse atmosfeer.

Stuntvlieger
Iemand die o.a. in de jaren '20 en '30 in de VS geld verdiende met vliegstunts.

Stuwkracht
Kracht die vliegtuig of raket aandrijft.

Supersonisch
Sneller dan de snelheid van het geluid.

Turbulentie
Heftige beweging van luchtstromen.

Tweedekker
Vliegtuig met dubbel paar vleugels die boven elkaar zitten.

Vliegboot
Vliegtuig dat vanaf water kan opereren.

Vliegtuig
Zwaarder-dan-lucht aangedreven vliegmachine met vaste vleugel(s).

Vliegtuigromp/Fuselage
Romp van het vliegtuig waaraan de vleugels en staart bevestigd zijn.

VTOL
Staat voor 'Vertical Take Off and Landing' (verticale start en landing), bij vliegtuigen die zonder startbaan kunnen.

Watervliegtuig
Vliegtuig met drijvers dat van water opstijgt en erop landt.

Windtunnel
Apparaat waarin men vluchten nadoet om vliegtuigontwerpen te testen.

Zeppelin
Duits luchtschip, en wel eentje dat gebouwd is door graaf Von Zeppelin.

Zuigermotor
Verbrandingsmotor die bij een vliegtuig een propeller aandrijft.

Zweefvliegtuig
Motorloos zwaarder-dan-lucht-vliegtuig dat op thermiekbellen (opstijgende warme luchtstromen) drijft.

BEROEMDE VLIEGTUIGEN

Wright *Flyer*
De Wright *Flyer* uit 1903 was het eerste gemotoriseerde vliegtuig dat langere tijd in de lucht kon blijven. Het maakte maar vier vluchten, alle op dezelfde dag. Deze tweedekker met 12-pk motor haalde een topsnelheid van 48 km/u. De langste vlucht bedroeg 260 m.

Blériot XI
De eendekker waarmee Blériot in 1909 het Kanaal overstak werd een van de bestverkochte vliegtuigen van zijn tijd. De originele versie met een 25-pk motor haalde een topsnelheid van 58 km/u. Latere modellen hadden een 60-pk Gnome rotatiemotor en waren sneller.

Fokker D7
De Fokker D7 was een Duitse eenmans-tweedekker uit het einde van de Eerste Wereldoorlog. Met zijn 185-pk motor haalde hij maximaal 187 km/u.

Ford Trimotor
Dit lijnvliegtuig was een golfmetalen eendekker die in 1926 werd geïntroduceerd. Met zijn drie 220-pk motoren kon de 'Tin Goose' ('tinnen gans') 15 passagiers vervoeren. Topsnelheid: 187 km/u.

Douglas DC-3
De volledig uit metaal vervaardigde DC-3 vloog voor het eerst in 1936. Hij had twee 1200-pk motoren, haalde 300 km/u en vloog met maximaal 21

passagiers aan boord met 2 à 3 tussen-
stops van kust tot kust de VS over.
Rond 1939 verzorgde hij zo'n 90% van
alle luchtverkeerslijnen ter wereld.

Supermarine Spitfire

De Spitfire vloog in 1936 voor het eerst
en behoorde tot een nieuwe generatie
geheel uit metaal vervaardigde eendekker eenmansgevechtsvliegtuigen. Met
zijn 1470-pk motor haalde hij op maximaal 11 km hoogte ruim 560 km/u.

B-17 Flying Fortress

De Amerikanen gebruikten dit toestel
in de Tweede Wereldoorlog om Duitsland te bombarderen. Naast een capaci-
teit van 1816 kg bommen en 10 bemanningsleden had hij maximaal 13 machinegeweren aan boord ter verdediging.

North American P-51 Mustang

Eind Tweede Wereldoorlog was dit
een van de beste eenmansgevechtsvliegtuigen. Hij kon met 720 km/u
3200 km vliegen zonder bij te tanken.

Messerschmitt Me 262

De Me 262 was de eerste straaljager
die door de Duitsers in 1944-1945
werd gebruikt. Hij had twee turbine-
straalmotoren van 8,8 kN en kon
snelheden halen van 860 km/u.

North American F-86 Sabre

Deze in 1948 door de Amerikaanse
luchtmacht in dienst genomen een-
mansstraaljager nam deel aan de
Koreaanse Oorlog (1950-1953).

Boeing B-52 Stratofortress

Deze in 1955 geïntroduceerde reusach-
tige straalbommenwerper kan nucleaire
wapens vervoeren en vormde de steun-

pilaar van Amerika's luchtmachtstrategie
in het naoorlogse Koude Oorlog-tijd-
perk. Was in 2002 nog steeds in gebruik.

Boeing 707

Dit eerste werkelijk succesvolle straalverkeersvliegtuig werd in 1958 geïntroduceerd en bleef tot 1977 in productie.
De versie met de vier 85-kN turbofan-
straalmotoren kon 147 passagiers over
maximaal 8000 km vervoeren met een
snelheid van rond de 970 km/u.

MiG-21

Het Russische MiG-21 eenmans-
gevechtsvliegtuig haalt maximaal 2220
km/u. Het werd in 1959 geïntroduceerd en was in 2002 nog steeds in
gebruik bij de Chinese luchtmacht.

Lockheed SR-71 Blackbird

Dit spionagevliegtuig vloog in 1962
voor het eerst. Het kan met een maxi-
mumsnelheid van 3600 km/u tot op 30,5
km hoogte opereren en is nog steeds
het snelste gevleugelde straalvliegtuig.

Boeing 747

Werd in 1969 als eerste jumbojet geïntroduceerd en kan tot op een hoogte
van 10,9 km 420 passagiers vervoeren
met een snelheid van 940 km/u.

Aerospatiale/BAE Concorde

Dit enige supersonische lijnvliegtuig ter
wereld werd in 1976 in gebruik genomen, haalt snelheden tot 2166 km/u en
kan 128 passagiers vervoeren. Na een
ongeluk bij Parijs op 25 juli 2000,
waarbij 113 mensen om het leven
kwamen, hield men de vloot ruim een
jaar aan de grond. In 2003 maakten de
Concordes hun laatste reguliere
commerciële vluchten.

WEBSITES OVER LUCHTVAART

http://users.belgacom.net/leer_vliegen
Beleef de tocht van Blériot opnieuw.

http://www.khbo.be/~becuwe/luchtvaart 1100_download.html
Met o.a. filmpjes van de vluchten van de gebroeders Wright. Je kunt ook met je eigen Wright *Flyer* vliegen met de download voor Flight Simulator!

http://www.first-to-fly.com/
Prachtige site met werkelijk alles over de gebroeders Wright. Inclusief historisch filmmateriaal, foto's en de complete bouwtekeningen van de Wright *Flyers*.

www.aviodrome.nl
De nieuwe site van het aviodome in het Nederlandse Lelystad.

http://www.kijk.nl/index.jsp
Fraaie, overzichtelijke site van het populair-wetenschappelijke maandblad.

http://www.aviodome.nl/collectie/geschiedenis.htm
Kort overzicht van de luchtvaart, handig voor een spreekbeurt.

http://www.koolhoven.com/~sites/dhas/
Compleet overzicht van alle historische vliegtuigsites in Nederland.

http://home.wanadoo.nl/jus.nl/fokker
Prima beginpunt over Anthony Fokker, Nederlands beroemdste luchtvaartpionier.

http://www.thosemagnificentmen.co.uk/tmmitfm.html
Omvangrijke site waar iedereen zijn luchtvaartverhaal op kwijt kan. Met o.a. overzicht van alle luchtvaartmusea ter wereld, plus een gigantisch fotoarchief.

http://library.thinkquest.org/c002752/fokkern.ogi?page=homen
Prachtige site over Fokker. Inclusief fraai filmmateriaal en spelletjes.

http:// www.museum.tmfweb.nl/
Website van het Oldtimer Vliegend Museum van Seppe (tussen Roosendaal en Breda). Bijna alle oldtimers op deze site kun je ter plekke ook in het echt zien vliegen.

www.avianet.nl
Uitgebreide, actuele nieuwssite over alles wat met vliegen te maken heeft. Inclusief tv-gids, en mogelijkheid om je op een vlieg-nieuwsbrief te abonneren.

http://library.thinkquest.org/28629/index.html
Bekroonde Nederlandse site over het hoe en wat van ballonnen, met onder meer veel aandacht voor de recordvlucht van de Breitling Orbiter 3.

REGISTER

VERANTWOORDING

Met dank aan: Chris Bernstein voor het register; MSgt William Ackerman en Maj. Christopher Pirkl, 48th Fighter Wing, USAF; Katherine Boyce, RAF Museum, Hendon

De uitgever dankt de volgende instellingen en personen voor hun toestemming om hun foto's te reproduceren:

m = midden; o = onder; l = links; r = rechts; b = boven.

1: Aviation-Images.com/John Dibbs; 3: Aviation-Images.com; 4: The Flight Collection @ Quadrant Picture Library; 5: Aviation-Images.com/Mark Wagner; 6: Hulton Archive; 7: Aviation-Images.com/John Dibbs; 8: Science & Society Picture Library/Science Museum; 9: Corbis; 11: Science & Society Picture Library/Science Museum; 12–13: Science & Society Picture Library/Science Museum; 13: Science & Society Picture Library/ Science Museum; 14–15: Hulton Archive; 15: Hulton Archive; 16: Hulton Archive; 16–17: Science & Society Picture Library/ Science Museum; 17: Science & Society Picture Library/Science Museum. 18: The Art Archive or; 18–19: Science & Society Picture Library/Science Museum; 19: Science & Society Picture Library/ Science Museum; 20–21: Hulton Archive; 21: Hulton Archive/Edwin Levick; 22–23: Austin Brown/Aviation Picture Library; 22: Hulton Archive; 23: Corbis or; 24–25: Corbis; 25: Corbis br; 26: Science & Society Picture Library/Science Museum; 26–27: Dominique Thirot; 28–29: Aviation-Images.com/Mark Wagner; 28: Science & Society Picture Library/Science Museum; 30–31: Corbis; 30: Hulton Archive ol; 32: Science & Society Picture Library/Science Museum; 33: Science & Society Picture Library/Science Museum; 34–35: Corbis; 34: Hulton Archive o; 36: Corbis m; 36: Mary Evans Picture Library o; 37: Corbis o, b; 38–39: Corbis; 39: Corbis br; 40: Corbis b; 40–41: Corbis; 42: Mary Evans Picture Library; 43: The Flight Collection @ Quadrant Picture Library mb; Aviation-Images.com/John Dibbs m; 44: Aviation-Images.com/John Dibbs; 45: Corbis or; Aviation-Images.com/- John Dibbs br; 46: Aviation-Images.com/- John Dibbs ol, m; 47: Aviation-Images.- com/John Dibbs; 48–49: Corbis; 50: Science Photo Library; 51: Science Photo Library b; 52–53: Hulton Archive b; 53: Corbis o; 54–55: Aviation Images.com/- John Dibbs m; 55: Aviation-Images.com/- John Dibbs o; 56: Science & Society Picture Library/Science Museum m; 57: Corbis; 58; Corbis bl; 58–59: Corbis o; 60: Aviation-Images.com/ Mark Wagner o; 60–61: Corbis; 62–63: Corbis; 64–65: Hulton Archive b; 65: Hulton Archive o; 66: Corbis; 67: Corbis; 69: Science Photo Library main; Science Photo Library/- Novosti tl; 70–71: Aviation-Images.com/- Mark Wagner o; 70: Corbis/ Bettmann o; 71: Corbis o; 72–73: Corbis/ NASA; 73: Corbis/NASA o; 74: Corbis/ NASA; 75: Corbis; 76–77: Aviation-Images.com; 77: Corbis br; 78–79: Corbis grote foto; 78: Aviation-Images.com/John Dibbs b; 80: Aviation-Images.com/Mark Wagner; 81: Aviation-Images.com/Mark Wagner; 82–83: Aviation-Images.com grote foto; 82: Corbis o; 84: Corbis Sygma/S. Feval bl; The Flight Collection/ NASA @ Quadrant Picture Library o; 86–87: Corbis; 88–89: Corbis; 90–91: Science & Society Picture Library/- Science Museum; 92–93: Corbis.